KB103740

김정희

책이 좋아 글도 써 보고 싶다는 늦바람이 불어
부족하지만 도전하며 살아보고자 한다.
Spero Spera
"숨 쉬는 한 희망은 있다."

서서히

프롤로그

책 읽기를 좋아하고 매달 한, 두 권의 독서를 생각하며 지내고 있었다. 나름 다양한 분야의 책을 읽으며, 시간 틈틈이 오디오 북도 듣고 있었다.

우연한 기회에 글쓰기 수업을 받게 되었고 맘에 맞는 분들을 만나서 공저를 출간하는 기회도 얻게 되었다.

나이 50을 넘기고 시작한 글쓰기는 나를 발견하고 되돌아볼 수 있는 의미 있는 시간이었다. 첫 단어가 떠오르지 않아 한참을 멍때리며 앉아 있던 시간도 많았다.

이제 개인 책을 써 보고자 하는 마음을 먹고 작은 도전에 뛰어들고자 한다. 날씨가 여름의 한가운데로 가고 있다. 모두가 지치기 쉬운 날씨처럼 책을 다 쓰는 날까지 얼마나 힘겨울지 아직은 잘 모르겠다. 봄에 시작한 글쓰기를 시작으로 공저를 냈고 이제 개인 책 출간까지 쉼 없이 걸어갈 예정이다.

밥벌이와 출간까지 병행해야 하는 두 가지 일이 나를 또 얼마나 부지런하게 만들지 기대 반 설렘 반이다. 물론 걱정이 제일 먼저이긴 하지만 그런 건 나중으로 미루자는 게 요새 바뀐 내 삶의 철학이다.

다 커버린 아이들에게도 엄마가 열심히 활동하는 모습과 열정이 있는 모습을 보여주고 싶다. 아이들에게 물질적으로 해준 게 너무 없다. 그래서 나의 바람은 내가 사는 모습을 보며 아이들도 각자의 인생을 자기만의 방법으로 열심히 살아가길 바라본다.

또한 책 출간으로 내 모습과 생각이 어떻게 변화할지 궁금하고 조금은 성장하게 될 자신을 기대하면서 이제 글을 쓰기 시작하려 한다.

서서히

발   행 | 2024년 7월 29일
저   자 | 김정희
펴낸이 | 한건희
펴낸곳 | 주식회사 부크크
출판사등록 | 2014.07.15.(제2014-16호)
주   소 | 서울특별시 금천구 가산디지털1로 119 SK트윈타워 A동 305호
전   화 | 1670-8316
이메일 | info@bookk.co.kr

ISBN | 979-11-410-9788-2

www.bookk.co.kr

서서히

김정희 지음

CONTENT

도전 일기

일상의 기쁨

문득 걸음을 멈춘 적이 있나요?

2월 중순, 복수초를 보면서 '겨울이 다 가고 있구나!' 생각했다.

한 달 만에 다시 찾은 숲길에는 어느새 그 친구들의 무리인 샛노란 군락들이 여기저기 눈에 띄었다. 도시보다는 산속의 봄이 늦게 오지만 땅은 먼저 봄을 느끼며 재빨리 반응한다.

오늘도 난 서둘러 가방을 챙기고 장생의 숲길로 달려갔다. 나무들이 아직 푸르지 않아서인지 대지의 풀들과 작은 야생화에 먼저 시선이 갔다.

"벌써 올라왔네."
몇 번 혼잣말로 교감하고 있었다. 그리곤 고개를 연신 돌려가며 또 누가 있나 열심히 찾아보았다.

한참 숲을 걷다 보면 하늘을 가릴 만큼 큰 삼나무 군락이 보인다. 그럼 난 커피 타임이야 하면서 늘 앉던

나무 벤치에 자리를 잡는다. 고개를 들어 나무들 사이로 살짝 보이는 하늘을 올려다본다. 하늘의 기운이라도 받으려고 하는지 한참을 그렇게….

아! 오늘은 하늘이 파랗다. 흐린 날 숲은 낮이어도 늦은 오후처럼 살짝 무섭게 느껴지곤 한다. 매번 그 벤치에서 챙겨온 커피를 마시면서 나를 병풍처럼 둘러싸고 있는 삼나무들을 찬찬히 살펴본다.

'너희들은 오늘도 이곳에 잘 있구나! 여전히 푸르고 튼튼하고 우람한 자세여서 우직해 보이기까지 하잖아. 너희들을 바라보며 영원히 변하지 않을 거란 믿음과 확신이 느껴져.'

그래, 내가 생각하는 그 사람처럼. 그 사람도 항상 똑같아. 시간이 지나도 여전해. 변하긴 하지. 더 진하고 깊어지는 장맛처럼.

내가 어떤 말을 꺼내놓아도 다 들어주지. 그 얘기가 헛소리든 신세 한탄 그 무엇일지라도. 양희은 선생님의 책 제목인
"그러라 해. 그럴 수 있어."
하면서 온전한 내 편처럼, 항상 내 뒷배가 되어주지. 난 알면서도 고맙다는 말은 하지 못했지.

비가 오면 촉촉이 물기를 머금어 더 윤기가 나고, 눈이 오면 하얀 옷에 파묻혀 우아해 보이기까지 해.

"바람과 비가 뭐 대수라고."

나에게 말하는 듯하다. 그러니까 너도 너무 까칠하게 굴지 말고 둥글둥글하게 잘 지내라고. 그리고 뭐든 하고 싶은 거 있으면 고민하지 말고 그냥 다 해보라고 한다. 네 인생의 주인공은 언제까지나 너 자신이라며.

오늘도 난 나의 든든한 후원자들과 봄을 같이 맞이한다. 내 푸념과 고민을 다 토해내고 조금은 모자란 해답을 갖고 다음을 기약하며 돌아선다. 오늘 하루도 더 충만해졌다. 4월에는 더 푸릇해졌을 숲길을 기대해 본다.

"고마워! 나의 삼나무 친구들."

바 다 거 북

우연한 기회에 바다거북에 대한 영상을 보게 되었다. 내가 바다거북을 직접 본 것은 한참 전에 아쿠아플라넷 제주에서 수많은 바다생물 중 하나로 본 기억뿐이다.

크기도 크기지만 보고 있노라면 왠지 어른스러운 모습으로 다가온다. 그 거북의 나이는 알 수 없지만, 보통 수명이 100년쯤으로 알고 있고, 학 그리고 사슴과 더불어 십장생에 속하는 동물이라 그런 느낌이 들었다.

내가 아는 얕은 마한 지식이라곤 알을 낳기 위해 자기가 태어난 바닷가로 되돌아온다는 것이다. 돌아갈 거리가 수천 km가 넘기도 한다.

영상 속의 바다거북은 죽은 채 발견되었고, 해양학자들은 이것을 해부하고 있었다. 거북의 배속은 우리가 짐작할 수 있듯이 내장에선 온갖 쓰레기, 특히 비닐봉지가 많았다. 우리가 무심코 버린 비닐봉지를 해파리로 잘못 알고 먹었다가 죽음에 이른 것이었다. 순간, 내가 그것을 버린 사람처럼 찔리기까지 했다.

거북이 보통 한 번에 50~200개의 알을 낳는다. 하지만 부화해서 바다까지 무사히 갈 수 있는 수도 적지만 바다에 도착해도 이들을 노리는 포식자들의 먹이가 되고 만다. 이렇게 힘든 사투 끝에 소수가 바다거북으로써 성장해 갈 것이다.

이런 바다거북에게 사람들은 거북의 고기와 알, 가죽이나, 등 껍데기를 얻으려고 바다거북을 남획하고 있다. 여기에 환경오염도 거북의 멸종을 부추기고 있다. 인류가 지구상에 나타나기 훨씬 전부터 이미 바다에서 살고 있었다. 이런 바다거북이 인간으로 말미암아 장수는커녕 멸종의 위기를 맞고 있다고 한다.

하루하루가 고단한 삶을 우리가 모두 살고 있다. 알에서 나온 새끼 거북도 발버둥 치며 살려고 했고, 다 자란 거북도 살아내려고 발버둥 쳤을 것이다. 물속 세상도 쉽지 않겠지만, 우리가 사는 세상도 버겁기만 할 때가 많다.

거북은 밖에 나오면 몸통으로 무거운 체중을 버텨야 하며, 다 자란 거북은 자기 체중에 몸속 장기가 눌려 상할 정도로 커지게 된다고 한다. 그래서 바다로 한

번 가면 알 낳을 때 빼고는 나오지 않는다고 한다.

생각해 보면 어렸을 적 바다에서 수영할 때는 정말 내 몸이 가벼워졌던 것 같다. 어른이 되어도 사람들이 수영이나 스노클링을 하면서 즐거움과 편안함을 느낀다. 우리의 고향인 깊고 고요한 어머니의 자궁 속을 그리워하는 건 아닐까?

지금은 어디서나 100세 시대를 말하고 있다. 바다거북처럼 유유히 혼자서 긴 시간을 잘 살 수 있을지 자신이 없다. 쉽지 않은 반백 년을 살았고, 앞으로 다시 반백 년을 살아야 한다니.

거북에게는 바다가 삶의 현장이자 삶의 안식처이지 않았을까? 그렇다면, 지금 내가 있는 바로 여기가 바다거북에게 바다와 같은 곳이지 않을까?

바다거북처럼 자기만의 바다를 벗어날 수 없다면, 나 또한 지금, 이 순간순간을 잘살아 보려는 부단한 노력과 수고로움을 견뎌내야지 하는 다짐을 하게 되었다.

긴 인생의 여정을 모두가 하고 있다. 미래를 알 수 없다고 불안해하는 사람도 있고, 오히려 모르니 더 궁금해져서 호기심을 갖고 적극적인 자세 다가올 시간을 받아들이는 사람들도 있다.

어제가 불행했었다고, 내일도 그러라는 법은 없다.
얼마나 다행인가?
이루고자 하는 희망이 있고 뭐든 바꾸자 하는 마음만 있다면 가능성이 무한히 열려있다고 믿는다.

어제라는 시간은 다음을 위한 참고할 자원일 뿐이다.
나쁜 건 버리고 좋은 건 더 발전시켜 나가다 보면, 어느 순간 성장한 자신과 맞닥뜨릴 것이라 확신한다.

주변 환경이 내 의사와는 상관없이 빠르게 변하고 있다. 그것에 맞게 따라가는 노력이 필요한 시점이다.
내 나이가 그래서란 말은 이제 먹히지 않는다.

기회가 된다면 세부의 화이트 비치에서 스노클링 하면서 바다거북과 함께 유영해 보고 싶은 꿈이 하나 생겼다.

밖에서 보는 바다가 아니라 바닷속에서 거북이의 눈으로 함께 보고 싶다.

서서히

서서히

우리 동네에는 언제부터인지 크고 작은 카페가 문을
열고 있다. 어쩌다 큰길 안쪽으로 돌다 보면 이런 장
소에 카페가 있을까 싶은 위치에 하나 둘 자리를 잡
고 있다.

매번 앞으로 지나가기만 하지 쉽게 들어가 지지는 않
는다. 아마도 익숙하지 않아서 그저 뻔하지만 편한
스타벅스를 더 들랑날랑하곤 했다.

그러다 한 카페가 궁금해 졌다. 사람도 만나면 먼저
눈에 들어오는 것이 얼굴이듯, 나에게는 가게 이름이
먼저 눈에 띄었다.

"서서히"
이름이 마음에 쏙 들었는지 어느새 나는 가게로 들어
가고 있었다. 이름에서 느껴지듯 실내 장식도 우드톤
에 차분하고 사람을 편하게 해주는 느낌이었다. 젊은
아가씨 사장님의 환한 인사에 커피 맛도 느끼기 전에

먼저 기분이 좋아졌다.

그 무렵 나는 친구와 3개월 과정의 바리스타 수업을 받고 있어서 커피 맛에 한층 관심을 두고 있었다.

일 년 내내 나는 따뜻한 아메리카노만을 고수한다. 아이스 커피에서는 향을 느낄 수가 없어서이다.이건 마만의 개인적인 생각일 수도 있다.

녹차를 내릴 때도 향을 먼저 맡고, 눈으로 색을, 그리고 입으로 맛을 느끼는 그 여유로운 과정이 나는 좋았다. 모든 음식의 시작은 향이 아닐까 싶다.

다행히 커피는 진하고 맛있었고 거기에 분위기도 맘에 들어서 그 후에도 가끔 갔었다. 비가 오는 날에는 통창 유리 위로 내리는 빗소리가 참 좋았다. 예쁜 사장님의 미소와 친절도 한몫했다.

바리스타 수업을 받을 때 커피 내리는 시간은 정확히 3분 30초 타이머를 맞춰놓고 연습을 했다. 욕심에 시간을 늘려 양을 더 늘리면 여지없이 커피 맛이 달라졌다.

입으로 맛을 느끼는 순간 예외는 없구나 싶었다. 선

생님은 아까워 말고 남은 양은 버리라고 했다. 처음엔 아줌마의 근성으로 아까워했지만, 맛을 본 이후로는 칼같이 시간을 지켰다.

그렇게 서서히 커피에 눈을 뜨면서 다 똑같은 커피라고 생각 없이 마셨던 내가 원두의 숙성 시간과 로스팅 정도에도 관심을 두게 되었다.

가끔 친구와 바람도 쐴 겸 시외를 벗어나 맛있는 카페를 찾아가면 커피 원산지도 따져가면서 여러 가지 맛을 느껴보려고 한다.

과정을 아니 더 맛에 신경이 가고 마시는 재미까지 또 다른 즐거움이 생겨서 좋다.

아는 만큼 보인다 했던가?
아는 만큼 맛도 보이는 걸까?

나의 어린 스승님들께

선생님이란 소리를 들으면서 지낸 지도 25년은 된듯하다. 꿈이 딱히 선생님이었다기보다는 대학 졸업 후 취업이 사교육에 접근하기가 그 당시에는 쉬웠었던 거 같다.

방문학습지 교사에서 출발해 지금의 개인학원 운영하기까지 참 많은 일이 있었다.

지나온 시간만큼 현재의 아이들이나 학부모까지 예전과는 여러 면에서 많이 바뀌었다. 아이들이 성향이 많이 바뀌고, 부모님들도 전부였던 공부를 지금은 과정 일부로 여긴다.

선생님에 관한 생각들도 전보다는 못하다는 생각이 든다. 서운할 것도 없지만 예전에는 그래도 오고 가는 정이 참 많았던 거 같다. 그래서인지 오래전 만났던 아이들이며 유독 기억에 남는 학부모들이 가끔 궁금해진다.

그때의 나를 아이들은 어떤 모습으로 기억하고 있을지…. 궁금해진다.

아이들이 매일 열심히 공부하기를 부모님들은 바란다. 하지만 어른들도 매일 열심히 살지는 않는다. 꾀도 피우고 딴생각도 하면서 하루를 보낸다. 똑같은 일을 매번 하기는 쉽지 않듯 아이들도 마찬가지라 생각한다.

주5일제로 바뀐 후로 우리 모두 주말을 손꼽아 기다린다. 나 역시 그렇다. 내가 바라는 것은 아이들이 5일 수업을 빠지지 않고 꾸준히 학습하는 것을 목표로 삼는다. 하루 한 시간 수업을 아이들의 개인 학습 능력과 상황에 맞게 조절하면서, 유연하게 시간을 활용하려고 한다.

내가 가르치는 수업과목이 영어이기에 더욱 그렇다. 한번 시작하면 기본 2~3년은 해야 표가 난다. 공부하고 돌아서면 잊어버리기를 반복하면서 앞으로 나아가는 게 쉽지 않은 과목이라 인내와 끈기가 필요한 과목이다.

다른 과목도 그러하겠지만 잘하면 그렇게 재미있는 게 영어이다. 어느 순간 아이들이 실력이 느는 게 보일 때면 아이들도 스스로 먼저 느끼고 자신감이 솟기 시작한다. 그때가 되면 비로소 아이들이 스스로 공부하기 시작한다. 모든 학부모님이 바라는 바이다.

나는 아이들이 힘들면서도 숙제를 해내고, 선생님과 함께 어려운 과정을 잘 참고 고비고비를 잘 넘기는 걸 보면 대견하다.

어른들도 똑같지 않을까? 각자 힘들어도 말 못 하고 혼자 견디면서 순간을 이겨내듯이 우리 아이들도 다 작은 언덕부터 하나씩 넘어가고 있다고 생각한다.

아이들 때문에 하루에 몇 번을 울고 웃는다. 그 많은 아이를 만나고 부딪쳐 가르치노라면 이러다가 스트레스로 머리가 백발이 될지도 모른다는 생각도 들었었다. 다행히 유전의 힘인지 아직 머리카락은 까맣다.

개성이 넘치는 아이들도 많고, 부모 말도 안 듣는 아이들이, 선생 말은 얼마나 잘 듣겠는가? 그런데도 아이들이 서서히 나아지고 발전하는 모습을 보면 기분이 좋아진다. 그러다가도 불쑥 화를 내는 모습을 보고 있노라면 살짝 머쓱해지기도 한다.

가끔 내가 아이들을 가르치는 게 아니라 아이들이 나를 가르치고 성장시켜 주는 스승 같다는 생각이 든다. 매일 준비하는 수업과 많은 시행착오가 한해 한해 쌓여서 나만의 수업 노하우가 되고 수업의 질도 나아지고 있음을 느낀다.

학부모님들과 상담도 아주 노련해지고 선생님으로서의 입장만이 아닌 부모의 입장이 되기도 하고, 아이들을 먼저 다 키워낸 인생 선배의 입장이 되어서 이야기를 나눈다. 그러다 보면 서로의 유대 관계도 쌓이고 학원과 선생님에 대한 신뢰도 더불어 높아지는 것 같다.

아이들도 어른들처럼 오늘 하루를 치열하게 살게 살고 있다. 방과 후 아이들의 일과도 만만치가 않다.

오늘은 부모님들이 집에 돌아온 아이들에게
"많이 힘들었니?"
하고 한 번쯤 물어봐 주셨으면 좋겠다.

어른들은 아이들에게 거울이 되어주어야 한다. 아이들은 부모의 말투와 생각까지도 닮아 간다. 그게 나의 의지와 관계없이 소리 없이 우리에게서 배우고 몸에 스며들고 있기 때문이다.

우리 아이들의 현재 모습은 나의 거울이다. 매일 들여다보면서 부끄럽지 않게 거울을 잘 관리했으면 한다.

학원 분위기와 이미지 또한 내가 하기 나름이라 생각하고 현재의 모습에 머무르지 않고 발전해 나가려고 노력할 것이다. 이들과 아이들을 맡겨 주신 부모님들께도 내가 해야 할 도리라 생각한다.

향기를 먹는다

아침에 눈을 뜨면 제일 먼저 커피가 생각난다. 오늘처럼 아침부터 비가 오는 날이면 더욱 그렇다.

이제 7월을 앞두고 드디어 여름의 한복판으로 접어들고 있다. 바리스타 수업을 받은 이후로는 집에서 가능하면 커피를 내려 마시고 있다.

언제부턴가 커피가 일상이 되었는지, 집 구석구석에는 종류별 커피 캡슐이며, 드립백 커피까지 가득하다.

가끔 카페를 방문했다 맛과 향에 홀려서는 가끔 원두를 사 오기까지 하니 이쯤 되면 중독의 강을 반쯤 건너지 않았나 싶다.

물을 끓이고 커피를 내리는 그 순간, 나의 하루의 시작을 알려주는 알람처럼 몸이 반응한다. 다 내려놓은 커피를 바로 마시지 않고 잠시 놔두고서는 향을 먼저 마신다. 마시면 날아가 버릴 것만 같은 향이 아까워서 한동안 바라만 본다.

언제부턴가 냄새에 더 예민해진 거 같다. 음식뿐만 아니라 결벽증까지는 아니더라도 집에 들어서면 킁킁거리는 이상 증상도 생겨났다.

인공적인 향을 좋아하지는 않지만 언젠가 교보문고에 들어섰을 때의 그 향은 이게 뭐지 궁금해지면서 나의 첫 디퓨저 구매를 이끌었다. 책 읽기를 돕기 위해 만든 향이라는데 서점과 너무 잘 어울리는 향이었다.

사람에게도 그런 향이 있다. 가끔 사람보다 그 사람의 체취가 더 그리워질 때가 있다.

인공 향으로 넘쳐나는 지금 너무 강한 향은 오히려 인상을 찌푸리게 할 때도 있다. 그래서 샴푸며 바디워시에서 향이 적게 나는 것을 선호한다.

엘리베이터에 타면 가끔 진한 샴푸 향이나 향수에 멈칫 놀라기도 한다.

나이 탓일지도 모르겠다. 요새는 인상이나 성격이 강한 사람보단 무난한 사람이 좋고, 향신료 진한 음식보단 점점 담백하고 자연 식자재 상태의 음식에 눈이 먼저 간다.

넉넉한 햇볕 탓에 온 세상이 꽃 천지다. 수국이 한창 화려한 색의 멋을 더하고, 가로수 아래에 심어놓은 온갖 꽃들 덕분에 운전 중 스쳐 지나가는 내 눈도 덕분에 호강이다.

동네를 걷다 보면 어느 집 담벼락에 한가득 걸쳐진 장미 덩굴이며, 텃밭에 보라색 가지꽃까지 보고 있노라면 골목 산책도 심심치 않다.

만약 단독주택에 산다면 나는 담벼락 아래로 치자나무를 심어놓고 싶다. 하얀 치자꽃의 그 은은하면서 진한 향이 너무 좋다. 노란 치자 가루를 넣어 튀김을 해 놓으면 색이 얼마나 예쁜지 시중의 카레 가루와는 비교할 수 없다.

비가 오는 날이라 그럴까? 남광주시장에서 할머니 몇 분이 팔던 치자 가루가 들어간 그 노란 튀김이 절로 생각난다.

지금도 그분들이 시장 한구석을 차지하고 계실지 궁금해진다. 언젠가 광주에 가면 시장에 꼭 한번 가보고 싶다.

그랬으면 좋겠다. 그랬으면 좋겠어.

지금 머릿속에서는 그랬으면 좋겠다 하는 것들이 수도 없이 맴맴 돌고 있다.

장마가 곧 시작이다. 비가 오는 것은 좋은데 많이 습하지는 않았으면 하고 바란다. 이런 말도 안 되는 것들을 온종일 생각한다.

월요일 출근을 하며 주말이 빨리 왔으면 좋겠다 하고, 오늘 하루 시작도 전부터 별일 없이 지나갔으면 하고 바란다.

학원에서 아이들을 매일 만나는 일을 하는 나로서는 잘 가르쳐야지 하는 생각보다는 오늘도 아이들에게 화를 덜 내야지하고 수업 시작 전에 다짐한다.
하지만 막상 수업하다 보면 화를 내고 있는 나를 발견하게 된다.

아이들이 다 내 마음처럼 잘 따라주지 않으면 어느새

짜증을 내게 된다.

요즘은 예전과 다르게 마냥 화를 낼 수도 없다. 아이들이 십 년 전 아니 그 전과 비교하면 아이들 성향이 많이 변한 것 같다.

부모님들의 생각도 많이 바뀌어 학습지도 외에 아이들 관리가 제일 힘들다. 그럼에도 아이들은 어른들 하기 나름이라 생각하면서 내가 하는 말들이 잔소리라 여기지 않도록 용어 사용에 신경을 쓰고 있다.

단순히" 하지 마"라는 말을 덜 쓰고 " 나는 네가 그랬으면 더 좋겠어"라는 구체적인 행동에 대해 감정을 덜 실어서 얘기하려고 하고 있다. 누구나 잔소리는 듣기 싫기 마련이니까.

나에게도 20대 후반의 자녀가 둘이 있다. 못 보면 보고 싶고 궁금하다가도 막상 만나면 잔소리가 슬금슬금 나온다. 그러지 말아야지 하면서도 아직도 어린애들로 보여서 그런 거 같다. 나뿐만 아니라 대부분 부모의 마음이 다 그러지 않을까?

몇 번의 기회를 찾다 한 번씩 넌지시 이러면 좋겠다 하고는 돌려서 기분 상하지 않도록 얘기를 하곤 한다. 고맙게도 잘 들어주면 그것으로 됐다고 생각하며 그다음은 아이들의 몫이라 생각한다.

나도 아이들도 그 모든 선택에 대한 책임을 져야 할 나이이기 때문이다.

그랬으면 좋겠다는 나만의 바램처럼 들린다. 그래서 꼭 되어야 하는 당위성은 없고 된다면 좋은 거지 정도다.

그랬으면 좋겠어는 상대방에 대한 구체적인 바람인 거 같다. 요즘은 각자 개성이 존중 되고 서로의 프라이버시가 침해 당하는 것을 싫어한다. 그래서 그럴까 사랑하는 사람, 친구와도 적당한 거리가 있어야 오래가고 건강한 관계가 유지되는 것 같다.

우리는 누군가와 가까울수록 알 수 없는 욕심이 새록새록 자라나서는 뭔가를 자꾸 요구하게 되고, 그렇지 못하면 속상해하다 서로 피곤해진다.

열 길 물속은 알아도 한 길 사람 속은 모른다는 속담처럼 서운한 게 있다면 대놓고 화를 내거나 짜증을 내지 말고 서운한 것을 말로 꺼내어서는 네가 그렇게 해주었으면 좋겠다는 대화를 해야 한다고 한다. 화를 내거나 흥분한 상태에서는 서로의 감정을 상하게 할 수 있다고 한다.

우리는 책이며 여러 매체를 통해서 많은 좋은 글귀를 주워듣는다. 쉽지는 않겠지만 좋은 것들은 한번 해봐야 하지 않을까?

나는 원래 이런 사람이라는 고집은 잠시 내려놓으면 어떨까? 싶다. 이건 개성이 아니다 싶다. 혼자 사는 세상이 아니니 어디서든 우리는 매일 누군가를 만나고 만나야 하기 때문이다. 관심과 사랑이 있으면 바라는 봐도 함께 한다고 생각한다.

앞으로도 많은 것을 바라고 기대하면서 살게 될 것 같다. 그것이 꿈일 수도 있고, 소박한 희망이기도 할 것이다. 여전히 내가 모든 것에 대해 사랑과 열정을 가지고 있기 때문이라 생각한다.

사랑하는 내 주변 사람들이 모두가 평안하게 지내기를 바란다. 거기에 더해 모두의 바람들을 잘 이루면서 함께 했으면 좋겠다.

외면

비가 와서 분주한 아침, 출근길을 서두르며 차에 올라탔다. 문득 핸들 위 그녀가 유독 눈에 들어왔다. 호기심 반으로 핸드폰 카메라 셔터를 누르고 있었다.

순간 아, 그녀가 이렇게 생겼었구나! 라는 생각이 들었다. 그동안 참 많이도 무심했었구나! 그녀가 이렇게 가까이 있었는데, 그녀를 자세히 들여다본 기억이 거의 없었다는 게 살짝 민망하고 당황스러웠다.

그녀의 얼굴은 그렇게 하루에 열댓 번도 사랑과 관심으로 빤히 들여다보곤 했었지만, 그녀는 관심 밖이었다.

그녀는 스스로가 예쁘지 않다고 느껴서인지, 당연히 받아들이고 있었는지도 모르겠다. 많은 주름, 그리 곧지 않은 손가락과 못난이 손톱이 관심을 받았을 리만무하다.

나이가 들수록 그녀의 살은 누렇게 되고, 비쩍 말라
버린 잔 나뭇가지 마냥, 생기도 잃어가고 있었다. 누
군가의 무관심 속에서.

이제, 그녀를 보듬어 주어야겠다. 그동안 힘들고 외로
웠을 그녀에게 누군가가 지켜보고 있다는 것을. 이제
는 마냥 내버려 두지 않겠다는 마음을 전하고 싶다.
그녀가 다시 생기를 얻고 윤기 있고 도톰한 손가락이
되어서 행복해졌으면 좋겠다.

오늘은 그녀에게 아주 천천히 진한 크림을 듬뿍 발라
주면서 어루만져 줄 것이다. 벌써 그녀와 함께 웃고
있을 저녁을 고대한다.

사랑 그 이름이란

그날도 추적추적 비가 내리고 있었다. 큰 눈망울을 가진 소년은 2층 창밖 아래로 알록달록 우산 행렬을 내려다보고 있었다. 누군가를 기다리는지 미동도 없이 그렇게 한참을 앉아 있었다.

그때 택시에서 내리는 한 소녀와 아주머니가 소년의 시선 속으로 들어왔다. 노란 우산을 들고 있는 소녀를 보고 작은 가슴이 마구 뛰기 시작하였다.

순간, 소년은 "아버지"라고 자기도 모르게 한마디를 내뱉고 말았다.

그들은 그 소년이 있는 보육원 방문객이었다. 오로지 우산에 시선을 뺏긴 그 소년은 어느 순간 다락방 옷장에 그것을 숨겨 놓았다.

하지만, 우산을 그 소녀에게 돌려줘야 하는 순간이 오고, 소년은 주체할 수 없는 울음에 가슴속 슬픔을 토해냈다. 그 소년의 눈물 속에는 그리운 아버지가 있었다.

소년에게 그 우산은 아버지와 헤어지던 그 시간의 기억과 아버지를 추억할 수 있었던 유일한 그 무엇이었다.

소년의 목에는 노란 우산 대신 그날, 아버지가 둘러 주었던 목도리가 아버지를 대신해 주고 있었다.

하지만 아버지가 선택한 것이 아들에 대한 사랑이었을까? 어린 아들을 위해 보육원을 선택해야만 했던 그 날 아버지의 마음을 어찌 헤아릴 수 있을까.

정말 아버지 없는 아들이 더 행복했을까? 무엇이 더 중요하다고 말할 수는 없지만, 서로에게 힘든 일이다. 어느 한 사람이라도 행복할 수 있다면 그게 최선이었을까? 자꾸 생각의 꼬리를 물게 된다.

불행 중 다행일까? 그 소년은 무난한 삶을 사는 노인이 되었다. 하지만 어떻게 그 사람을 다 헤아릴 수 있을까. 살면서 항상 마음 한구석에는 아버지가 자리하고 있었을 것이다.

그것이 그리움이자 사랑이면서 또한 상처이지 않았을까 하는 생각이 든다.

며칠 전 보았던 영화, "3일의 휴가"가 떠올랐다. 두 모녀의 이야기 속 딸은 엄마를 싫어한 건 아니었지만, 행동은 마음과는 달랐다.

있으면 당연하고 없으면 아쉬운 무언가처럼, 우리는 엄마를 그렇게 대하지 않았나 싶다. 제 발이 저린 격이라고 할까.

엄마가 떠난 후에야 영화 속 딸은 엄마의 음식을 따라 한다. 손이 마음보다 먼저 움직이고 있었다. 엄마를 추억하고, 엄마의 지난 아픔을 따라가면서 그제야 엄마를 향한 가여운 마음과 미안한 마음이 찾아온다. 왜 후회는 밀물처럼 한 번에 오는지.

영화 속 두 모녀의 노란 우산은 만두 속 무를 넣은 만두였다. 나라마다 사람마다 'comfortable food'가 있는 것처럼 우리도 누군가를 그리워하면 떠오르는 음식처럼 그 무엇을 하나씩 품고 있다. 50줄을 넘긴 이후로는 그것의 향이 더 진하게 느껴지고 더 그리워진다.

소년에게는 그 노란 우산이, '3일의 휴가'의 그 딸에게는 만두가, 나에게는 엄마의 집이 그렇다.

한때는 그 공간에서 그렇게 벗어나고 싶어 발버둥을 쳐댔었다. 그렇게 해서 벗어난 그곳에 지금은 내가 살고 있다. 그렇게 싫었던 그곳이 내가 그리워하던 장소였다.

며칠 후에 비가 온다고 한다. 그날은 꼭 노란 우산을 챙겨 나가보려 한다. 나도 그 노란 우산 속 세상에서 소년이 아버지를 그리워하듯 엄마를 떠 올리면서 2층에 있는 카페를 찾아서 가고 싶다.
넓은 창이 있다면 더 좋을텐데 하는 작은 바람으로 비를 기다려 본다.

사랑에 넘침과 부족함이 어디 있으랴.
모두가 다 사랑이다.

여행 좋아하시는 우리 엄마

남에게도 나처럼, 나에게도 남처럼

4월 첫 주말, 그녀는 몇 년 만에 무등산 세인봉 코스를 오르고 있었다. 지금쯤이면 진달래가 하나, 둘 피고 있을 것을 기대하고 있다.

한동안 가슴속 한가득 화를 품고 죽을 듯이 헐떡거리면서 무등산에 올랐었다. 오늘 그녀는 그 산을 구석구석을 느긋하고 편안한 마음으로 한 발씩 성큼성큼 내디디고 있다.

예전에는 산에 있어도 산을 보지 않던 그녀가 오늘은 하늘, 나무, 야생화, 바윗돌까지 처음 산에 온 등산객처럼 보이는 모든 것을 신기한 눈으로 담고 있었다.

지난해 이맘때쯤, 그녀는 마음속 묵혀 왔던 원망이자 짐인 누군가를 정리했다.

자신에게 묻고 되묻기를 반복하면서 그동안 괴롭혔던 일부는 받아들이고, 일부는 내려놓기를 반복했다. 어느 순간 온전한 자신을 마주하게 되었다.

한때, 그녀는 모든 상처와 불행은 왜 자신에게만 있는 것이냐며 분하고 억울하게만 느꼈었던 때가 있었다.

사계절이 몇 번 바뀌면서 그녀는 몸만 건강해진 게 아니라 마음도 더 단단하고 유연해지며 편안해졌다.

사람 사이의 문제는 일방적인 누군가의 잘못으로 일어나지 않는다는 걸 알게 되었다. 남 탓만 하던 당시를 돌이켜보면서 그녀는 스스로가 부끄럽고 작아졌다.

그녀의 마음속에는 모든 일을 약간 삐딱하게 바라보고, 자신의 관점대로 왜며 보고 판단하며 타협의 여지라곤 없던 옹졸하고 속 좁은 그녀만 있었다.

이제 그녀를 둘러싸고 있던 벽들이 하나, 둘 깨지면서 남에게도 조금은 너그러워지고 그럴 수 있지! 라며 좀 더 관대해졌다.

또한, 자신을 너무 냉정하고 객관적으로만 바라보던

그녀는 모자람도 자신의 일부임을 받아들이며 더 성숙해 가고 있음을 느끼게 되었다.

남을 바꾸기란 어렵다고 한다. 그래서 자신의 시선을 바꾸려고 노력한다. 한 발짝 물러서서 바라보는 여유를 가지고 그녀는 오늘도 다짐 또 다짐한다.

세인봉의 진달래꽃이 피어 있는 고갯길을 따라 중봉의 어느 자락에서 맡았던 주목의 그윽하고 깊은 향을 기대하면서 발
걸음을 재촉해 본다.

어울림 그리고 설렘

고요한 새벽을 뚫고 Sunshine Bakery의 간판에 불이 들어온다.

오늘도 창고 한쪽에서 누군가를 기다린다. 드디어 나는 크고 환한 주방으로 옮겨진다. 곧 커다란 체에 두어 번쯤 다녀오면 하얗고 고운 가루가 된다. 소복하게 쌓여있으면서 또 다음을 기다린다.

치대고 치대는 크고 거친 손과 달리 나는 점점 찰지고 보드라워진다. 어느새 탄력 가득한 아가의 궁둥이처럼 되어간다. 든든한 지원군 이스트를 만나 성숙해질 시간을 함께 한다. 너만 믿는다. 그리고 따뜻한 햇살을 느끼며 잠시 쉼의 시간을 갖는다.

드디어 나는 무엇으로든 바뀔 준비가 되었다. 멋지고 화려한 친구들과 어울리면 난 누구보다 더 눈에 띌 수 있는 모습이 될 수도 있고, 개성 강한 소금 몇 톨만 얹은 소박한 모습이 될 수도 있다.

요새는 다들 향이 진하고 예쁘고 화려한 눈에 확 띄는 것에 손길이 가는 거 같다. 그게 조금은 아쉽고 속상하다.

혼자 말고 누군가와 함께할 때 더 빛나는 내가 되고 싶다. 그렇게 강하지 않고 많이 도드라져 보이지 않아도 된다.

누구와도 잘 어우러질 수 있어서 혼자 말고 너와 그 그리고 그녀와도 아니 우리가 함께 행복해질 수 있는 그 무리 속 일원이 되고 싶다.

아침, 점심 그리고 퇴근길 누군가에게 다가가 벗이 되고 위안이 되고 든든히 속도 채워줄 수 있으면 좋겠다. 그게 바로 내가 매일 하는 다짐이다.

어느새 창밖은 환해지고 곧 누군가 문을 열고 들어올 거 같다. 드디어 설레는 하루의 시작이다.

딱! 지금만큼

새벽 5시, 그녀는 오늘도 여지없이 6시 알람과 상관 없이 눈을 뜬다. 그대로 누운 채로 고개를 돌려 창문 밖을 무심하게 내려다본다. 아직 해가 뜨기에는 이른 시각이라 그런지 그녀의 몸은 미동이 없다. 그러다 결심한다.

'하루가 또 시작이네.'
혼잣말과 함께 무거운 몸을 털고 일어난다. 녹차를 우려낸 따뜻한 엽차를 마시며 그녀의 몸도 하루의 시작을 알린다.

명상의 방법을 모르지만, 그녀는 창문 앞에 정좌하고 앉아서는 숨을 깊이 마시고 내쉬기를 두어 번 하곤 멍한 채 도로 위로 오가는 차들을 바라본다.

가로수들의 떨림을 유심히 관찰하며 오늘 날씨도 짐작해 본다. 또 바람이 분다. 가로수들이 온몸으로 흔들어 대고 있다.

오늘도 머리는 묶어야겠다고 그녀는 생각한다. 바람 없는 제주란 생각 할 수 없는 듯 하다.

오늘은 뭘 해야 하나? 되물으며 할 일들을 마음속으로 더듬어 간다.

문득, 그녀의 머릿속에 한 사람이 떠오른다.
'간밤에는 잘 잤을까?'
그녀는 그제야 그가 궁금해진다.

요사이 그도 자다가 자주 깬다고 하는데 그녀는 자꾸 그게 신경이 쓰인다. 고민하고 걱정되는 일이 많다는 걸 알기에 더욱 그렇다.

우습게도 그녀도 밤사이 몇 번을 깨고, 깊은 잠을 자는 것이 어려운지가 몇 달이 되어간다. 그런데 증세가 심한 자신보다 그를 더 염려하고 있으니 그런 자신을 보면서 의아할 때가 많다.

어느새 가랑비에 옷 젖는다는 말처럼 그의 자리는 그녀의 영역에서 너무도 커져 있었다.

슬슬 몸을 움직여 그녀는 냉장고 속의 만들어 놓은 보랏빛 비트 주스를 마시는 순간에도 그가 떠오른다.

지난번에 만들어 줬더니 맛이 없다며 타박하였다. 그런 그에게 그녀는 짧고 굵게 한 마디를 날린다.
"그냥!! 마셔요~"
그럼, 그는 약 먹기 싫어하는 아이처럼 꾸역꾸역 먹던 모습이 떠올라서 그녀의 입가에 잔잔한 미소가 번진다.

그녀는 오늘도 헬스장에 들러 적당히 운동하고 출근한다. 그녀의 머릿속에서는 그에게는 들리지 않을 잔소리를 늘어놓는다.
"운동 좀 하지 그래요?"
"······."
"하루에 만 보 걷기는 가능하지 않을까요?"
그럼, 그는
"어."
하고 똑같은 대답뿐이다.
그녀는 내 마음을 몰라준다며 그에게 핀잔을 준다.

서로의 일과를 그 둘은 너무 잘 알고 있다. 그래서 그녀는 어떨 때는 신경 써줘서 고맙기도 하면서도 때론 너무 참견하는 것처럼 느껴진다. 그래서 약간의 거리가 필요하다고 생각될 때도 있다.

노래 제목 "딱 10cm만" 처럼말이다.

그 모든 것이 그녀에 대한 사랑과 관심의 표현임을 잘 알기에 그녀는 투덜 대면서도 괜스레 기분이 좋아진다.

출근해서 오전 업무를 바쁘게 보던 그녀는 점심시간이 되어갈 무렵에 그와 짧은 통화를 한다. 서로의 밤새 안부를 묻고 점심도 잘 챙겨 먹으라는 흔한 인사말을 주고받는다. 이런 소소한 안부 인사들은 그들에게는 무엇보다 소중한 하루의 일과 중 하나이다.

통화보단 마주 앉아 있는 모습을 원하지만, 둘 사이의 놓여있는 물리적인 거리가 힘들다는 걸 너무 잘 알면서도 늘 서로를 목말라한다. 가끔은 속상하지만, 만났을 때의 몇 배의 기쁨을 생각하면, 괜찮아 지금도 좋은데 하며 그녀는 파도처럼 출렁이는 마음을 다 잡는다.

그녀는 그와 어느덧 50의 중반을 사이에 두고 나란히 가고 있다. 아직도 그녀는 그를 만날 때마다 가슴이 설레는 자신을 보며 놀라곤 한다. 반면에 그는 그녀를 볼 때면 입꼬리가 살짝 올라가면서 짓는 가벼운 눈웃음이 반가움의 최고 표현이다. 그럴 때마다 그녀는 살짝 야속해야 한다. 이건 밑지는 장사 아닐까?

나만큼 당신도 그러라는 희망은 너무 과한 바람일까? 하지만 그런 그녀의 아쉬움도 그를 보고 있노라면 금세 눈 녹듯 녹아버린다.

두 사람이 만나는 날이면 두 사람의 최애 메뉴인 삼겹살과 소주를 사이에 두고 앉는다. 그가 구워주는 고기를 크게 한 쌈을 싸서 그의 입에 먼저 넣어주고 그녀도 맛있게 먹으며 둘은 이게 바로 행복이지 하는 눈빛을 주고받는다, 이심전심 뭐 그런 게 아닐까? 싶다. 소주잔을 사이에 두고 두 사람의 사소한 일상의 대화는 꼬리에 꼬리를 물 듯 계속된다.

말 수가 많이 없던 그녀가 알코올 덕분에 수다쟁이가 되어간다. 그런 그녀를 그가 따뜻한 눈으로 감싸준다. 그럴 때면 그가 먼저 묻는다
"아직도 내가 좋아?"
그녀가 매번 같은 답을 한다.

"그럼요!! 점점 더 좋아지니 큰일이네."
그러고 나면 둘 다 어이가 없다는 듯 크게 웃고 만

다. 그녀는 마음속으로 생각한다. 정말 그렇다고. 그는 아니라고 손사래 치면서도 내심 좋아하는 게 느껴진다.

나이를 어디로 먹은 건지 누가 보면 참 유치하다고 싶겠지만 뭐 사랑이 다 그런 거 아닌가 싶다. 별거 아닌 것에 기쁨과 슬픔이 롤러코스터 타는 것과 같은 느낌이 들지 않을까?

소주 한잔과 함께 둘은 싱거운 질문과 대답 속에서 많이 웃고 행복을 느끼며 서로의 마음을 다시 확인한다.

그녀는 그와 손잡고 걷는 것을 좋아한다. 더운 여름 청계천 물소리 따라 걸었던 시간, 숲길을 따라 소풍 갔던 시간, 걸으면서 나누던 얘기들. 그녀는 그런 모든 기억이 너무 좋다.

그녀에게 이제는 강렬한 입맞춤이나 요란한 사랑의 단어들보다는 일상의 대화가 더 소중하고 중요하다고 느끼고 있다. 가끔 그녀는 그에게 묻는다.
"나 사랑해요?"
그는 무심하게 대답한다.
"어."

어쩜 대답에 발전이라고는 하나 없냐고 그를 구박한다. 그녀는 별거 아닌 이런 대화마저도 행복 만찬의 하나의 재료라 생각하면서 절로 웃음이 나온다.

그녀의 하루도, 그의 하루도 모두 무탈하게 지나감에 그녀는 감사해한다.

"푹 자요~ 오늘도 모두 수고했어요. "라는 문자를 보내며 그녀도 잠을 청한다.
오늘도 괜찮았어.

하루하루의 일상이 사랑이 되고, 사랑으로 일상이 충만해지기를 그녀는 항상 소망한다.

쉰세 살 나에게

"그동안 잘 살아줬고, 앞으로도 더 잘 살 거야. 고생했어. 그리고 애썼어"

너에게 제일 먼저 해주고 싶은 말이었어. 여기까지 오는 동안에도 무너질 수 있는 순간들이 참 많았었지? 그런데도 너의 자리를 굳건히 잘 지켜줘서 고맙고 또 고맙다.

힘들고 고단했던 너의 30.40대의 어둡고 긴 터널을 잘 견뎌내 주고, 지금 너의 멋진 50대를 살아가는 모습에 감사와 감동을 함께 하고 싶어.

한때는 모든 일이 원망스럽고 서러워서 혼자 펑펑 울었던 시간도 수없이 많았었지…. 요 몇 년 사이에 너의 모습은 누가 봐도 매우 편안하고 여유가 느껴져. 이제야 지나온 시간을 뒤돌아볼 여유도 생겨서 곰곰이 생각해 보았어.

너를 힘들고 아프게 한 모든 시간과 사건들이 꼭 불행한 일이었던 건만은 아니라는 걸 알게 되었지. 그 세월을 잘 이겨내면서 너는 더 강해지고 성숙한 어른이 되었어. 그래, 빛과 그림자처럼 행복과 불행 그리고 동전의 양면처럼 너에게도 그 모든 상황이 함께 있었던 거야.

앞으로 너의 나이인 숫자에도 주눅 들고 기죽지 말자. 그건 그냥 숫자일 뿐이야. 그러니까 지금처럼 멋지고 어제의 너보다 나아지려는 노력과 열정을 포기하지 않았으면 해.

힘든 일이 생기더라도 너무 예민해지지 말고, 조금 덜 반응해 보는 거야. 다른 누구보다 우선 너의 마음 챙김에 집중해서 너 자신을 소홀히 대하지 말아줘.

현실의 중압감이 누구에게나 왜 없겠니? 그래도, 어깨의 힘 좀 빼고. 또, 네가 다 하려고 하지 말고 사랑하는 사람들과 친구에게도 가끔 기대보려고 했으면 좋겠어.

요번에 엄마의 첫 번째 기일을 치르고 마음이 힘들고 아리겠지만, 너에게도 사랑하는 아들, 딸이 있잖아? 그 아이들에게 너도 사랑하는 엄마야. 엄마에게 못다한 사랑과 효도를 이제는 너의 아이들에게 내리사랑으로 보답하면 너의 엄마도 더 행복해하실 거 같아.

항상 너를 응원하고 온전한 네 편이 있다는 걸 잊지마! 정희야 사랑하고 사랑한다.

집밥

서울에서 간만에 딸이 집에 내려왔다. 대학교에 입학한 이후로 혼자 자취한 지도 내년이면 십 년이 되어간다. 이제는 서울 사람이 다 됐다.

딸은 집에 밥솥이 없다. 혼자라 해 먹기도 그렇고 해서 매번 햇반을 먹고 있다. 지금처럼 집에 와서야 갓지은 밥을 먹을 수 있다.

딸이 온다고 해서 맛있는 쌀을 골라 사두었다가 밥을 해주었다. 딸이 이렇게 밥이 맛있는 줄 몰랐다는 말에 괜히 가슴이 아프다. 스무 살부터 혼자 밥 차려서 먹는 것도 안쓰러웠고 찬도 별거 없이 김이나 간단한 반찬에 해 먹는 것이 항상 마음에 걸렸었다. 딸은 내려오기 며칠 전부터 먹고 싶은 걸 얘기한다.

엄마가 만들어 준 매운 된장찌개, 김밥, 떡볶이가 먹고 싶다고 한다. 이번에는 떡갈비도 해주고 몸보신해준다고 전복 버터구이도 해주었다.

먹는 내내 맛있다고 난리다. 한 상에 같이 앉아 먹는 나는 기분이 좋아졌다가 슬퍼졌다가 마음이 갈피를 못 잡는다. 이게 뭐라고 자주 못 해주었을까 하는 미안함에 혼자 몰래 목이 메 밥이 목구멍에 자꾸 걸린다.

내일은 좋아하는 김밥 싸서 숲길로 소풍을 가려고 한다. 벌써 딸은 신이 났다. 그걸 보는 내가 더 신이 난다.

사랑하는 딸!!
다음엔 네가 싸 준 김밥 나도 먹고 싶어.

도전일기

첫발을 내딛다.

등산이라는 내 취미를 갖게 되었는지도 15년은 된듯하다. 그동안 남들은 한번 사면 평생 신는다는 등산화를 서너 번은 갈아 신은 것 같다.
내가 신발의 구멍이 나서 산다고 하면 열의 아홉은 내 얼굴을 빤히 보면서 그럴 수 있나…? 하는 무언의 표정을 짓는다. 하지만 그건 사실이다.

산을 제대로 타면서부터 5~6년이면 신발에 한계가 왔다. 내가 운동에서는 몸치가 아닌 거는 알고 있었지만, 등산을 시작한 계기는 아주 간단했다. 그건 내 친오빠의 충격적인 한마디였다.

당사자인 오빠는 기억도 못 할 말이다. 결혼 후 나는 여수를 거쳐 광주광역시에 살고 있었다. 휴가 때가 되면 아이들을 데리고 친정인 제주로 달려갔다. 아이들이 어렸을 때라 하루가 멀다고 바다에 놀러 다녔다.

그때 내 나이가 서른 후반쯤이었을 것이다. 한번은 내 등에다 대고 살이 쪄서 그게 뭐냐고 한소리를 했는데 기억은 안 나지만 그 순간은 자존심이 많이 상했던 거 같다.

집으로 돌아온 나는 집 맞은편에 있는 전남대 운동장 트랙을 일이 끝나고 나면 저녁 시간에 걷기 시작했다. 무슨 오기가 있었는지 비가 오든 눈이 오든 무조건 뛰쳐나갔었다. 그 당시 방문학습지 교사여서 족히 아홉 시는 되어야 가능했다. 한 6개월 걷고 뛰기를 하다 슬슬 집에서 제일 가까운 산으로 향했다.

삼각산!!
산과의 첫 만남이다. 와! 트랙을 걷는 것과 산을 오르는 건 또 다른 세상이었다. 그렇게 첫 산행을 왕복 두 시간 반 만에 하고 내려왔다. 이게 나의 첫 등산이었다. 하지만 그 산이 익숙해질 때쯤 한 시간이면 다녀올 산이란 걸 알았다.

등산로 입구에는 작은 묘가 하나 있었고, 그 주변엔 키가 작은 녹차 나무가 있어 봄이면 하얀 꽃도 볼 수 있어 좋았던 기억이 난다. 산행이 익숙해지자 나의 눈은 광주의 대표산 무등산을 향해 불타오르기 시작했다. 그때부터 나의 등산이 본격적으로 시작되어 지금까지 이어지고 있다.

이렇게 등산의 시작은 다이어트 같은 작은 이유에서 시작되었지만, 시간이 지날수록 나에게는 없어서는 안 될 존재로 다가와, 지금의 나를 잡아주고 지탱해 주는 힘이 그리고 친구가 되어주고 있다.

한때는 주말만 되면 새벽에 눈 뜨자마자 가방을 둘러메고 미친 듯이 어느 산이건 다녀댔다.

가끔 사는 게 힘들어서 갔고 혼자 울고 싶어서도 갔다. 흐르는 땀방울에 내 눈물도 몰래 숨기고 싶었었나 보다.

무엇이 자꾸 나를 산으로 이끌었다.

셋, 둘, 하나

내 안의 나를 깨우는 소리!!!

올해 2월 중순쯤인가 딸과 통화를 하다 마라톤 얘기가 나왔다. 딸이 시험 준비를 하고 있던 터라 언제 꼭 같이하자는 약속만 하고 통화는 끝났다.

그리고 문득 봄이면 4.3 제주 마라톤 대회가 있었던 게 생각이 나서 검색을 해보았다. 마침 접수를 일주일쯤 남겨두고 있었다. 무슨 생각이었는지 한번 해볼까 하는 마음이 일었다. 그리고 어느새 접수하고 있는 나를 발견했다.

여태껏 마라톤은 생각해 본 적이 없었는데…. 이건 뭐지 싶었다. 일단 10킬로를 먼저 해보자 맘먹었다. 그런데 뭘 먼저 해야 하나 싶었다. 신발장에 있는 운동화가 러닝 하기에 괜찮을지, 사야 할지 그것도 고민이었다.

뛸 수는 있을지가 먼저 해야 할 고민인데, 그러고 있

는 내 모습이 웃기기만 했다. 순간 혼자가 아니라 둘이 뛰면 더 재미있지 않을까 하는 생각에 아들에게 전화했다. 일단 그날 약속이 있는지 먼저 묻고는, 별일 없다는 아들에게 그럼 엄마랑 마라톤 같이 뛰자고 말을 건넸다.

뜬금없는 말이었을 텐데 아들은 흔쾌히 그러자 했다. 접수비도 내주고 끝나면 고기도 먹자며 나름 꼬드길 생각이었는데 아들이 순순히 해준다고 해서 정말 고맙고 내 맘을 알아주나 싶어 기특하기까지 했다. 회사 업무로 주말에도 바빠서 출근하는 날이 많아 조금 안쓰러울 때도 있었다. 그렇게 우리는 각자 틈틈이 연습해서 대회 날 만날 약속을 하고, 나도 준비를 하나씩 해나갔다.

다행히 난 아침에 헬스장을 다니고 있어서 러닝머신에 오르기만 하면 연습이 가능한 상황은 만들어져 있었다.

근력과 유산소 운동, 일명 천국의 계단을 주로 하고는 있었지만, 러닝은 거의 하지는 않고 있었다. 다음날 헬스장 출근 후 러닝머신에 올라서서는 긴 심호흡을 한번 하곤 뛰는 데까지 한번 뛰어보자는 마음으로 내 마라톤의 첫발은 시작이 되었다.

등산으로 다져진 나의 심장은 잘 버텨주었고 첫날의 러닝은 40분가량 뛸 수 있었다. 아! 다행이다 싶었다. 한 십분 뛰고 말면 어쩌나 걱정이었다. 이 정도면 한 달 연습으로 될 거 같다는 알 수 없는 자신감이 들었다. 말이 10킬로지 차로만 이동하던 내가 그 거리가 어느 정도인지 가늠도 되지 않았다.

마라톤이 실내 스포츠도 아니고 밖에서 뛰어야 하는데 어디서 뛰어볼까? 혼자 여기저기 검색해 보았다. 마침 생각이 나는 장소 바로 딱 맞다 싶은 데가 생각이 났다. 화북~삼양 포구 코스였다. 집에서 멀지 않아 친구랑 해안도로 따라 걷기도 하고 커피 마시러 자주 가는 곳이었다.

길이 익숙하기도 하고, 용담 해안도로와 다르게 지나가는 차량도 많지 않아서 적당히 한산하고 동네 주민들 대부분이 어르신이 많긴 하지만 인적이 드문 동네도 아니어서 괜찮지 않을까 하는 생각이 들었다.
다가오는 주말에 한 번 뛰어보기로 혼자 맘을 먹었다.

드디어 생각만 하던 그날이 왔다. 가벼운 운동복에 러닝화를 챙기고, 가방에 물 한 병과 끝나고 먹을 식

량으로 바나나 한 개, 나름 아이팟까지 장착하고 나섰다.

차를 주차하고 뛰려는데 얼마나 떨리던지 보는 사람 하나 없는데 기분이 참 묘했다. 정말 내가 뛰려고 여기에 서 있는 게 신기하기만 했다.

적당한 스트레칭을 하곤 바다를 행해 냅다 뛰기 시작했다. 차로만 가던 길을 뛰면서 가다 보니 전에는 안 보였던 동네 구석구석도 볼 수 있어서 신기하기까지 했다.

그렇게 한 20분을 뛰었을까 배에서 이상 신호가 왔다. 어쩌면 좋아 화장실이 급해졌다. 머리는 하얘지고 파란 하늘이고 머고 내 눈은 화장실만 찾고 있었다. 요새는 동네마다 화장실이 예전과 달리 깨끗하고, 환하고 관리가 참 잘 되어있어서 가끔 걷다가 들리곤 했었다.

정말 대략 난감이란 말이 딱 맞다. 나오기 한 시간 전에 두유를 갈아 먹었는데, 그게 소화가 안 된 상태에서 뛰었으니 위장에서 난리가 났나 보다.

큰 사고가 나기 전 가까스로 화장실에 도착할 때쯤에

는 식은땀까지 흘리고 있었다. 어이가 없고 이 상황이 짜증이 나면서, 막무가내로 뛰었던 내가 측은해지기까지 했다.

무식하면 용감하다는 말이 맞다. 앉아 있으면서, 다음부터 뛰기 전에는 먹고 나오지 말아야지 하는 큰 교훈 하나를 갖고 왔다.

나의 첫 마라톤 연습의 종착지는 화장실이었다. 그후로 나는 일주일에 한 번은 두 마을을 걸쳐서 뛰고다시 돌아오는 나름 맹훈련을 했다. 두 번째 날부터는 무난하게 7킬로부터 시작해서 대회 2주 전에는10킬로도 뛸 수 있게 되었다.

사실 아침에 그것도 주말 아침에 준비해서 나가기가쉽지는 않았다. 더 누워있고 싶고, 평일도 아닌데 왜이래야 하나 싶기도 하다, 토요일 10부터 수업을 해야 했던 나로서는 선택의 여지가 없었다. 일을 질러놓은 건 난데 어디다 대고 하소연도 할 수 없었다.

간간이 아들에게 카톡으로 연습은 가끔 하고 있는지물었다. 사실 물으면서도 별 기대는 하지 않았다. 역시 대답은 바빠서 못 하고 있다는 대답이다. 평일엔야근 아니면 회식에 시간이 없다고 하면서도 어떻게든 뛰기는 하겠죠 라는 남 얘기처럼 하는 말이 다였다. 조금 걱정이 되긴 했지만 그래도 주말에는 축구도 하던 애라 나 역시 뛰기야 하겠지 싶었다.

드디어 경기 날 우리는 터미널에서 전세 버스를 타고 행사 장소인 한림 고등학교로 향했다. 버스에는 벌써 범상치 않은 복장의 러너들이 타고 있었다. 동내에서 나 입을 법한 운동복의 우리 둘은 왠지 초라해지는 느낌이었다.

경기장에 도착했을 때는 많은 사람이 축구장을 뒤덮고 있었다. 아침부터 생기가 활활 타오르는 모습이었다. 여기저기서 사람들이 스트레칭하고 일부는 트랙을 돌며 준비운동을 하고 있었다.

내 눈에는 모든 게 신기해 보였다. 에어로빅 회원들이 단상에 올라 흥을 돋워주고, 모든 사람이 음악에 맞춰서 각자의 춤을 신나게 추어댔다. 어느새 이게 뭐지 하면서도 우리도 가볍게 움직이기 시작했다. 그렇게 각자의 방식으로 곧 출발할 마음의 준비도 하고 있었다.

경기는 하프 선수들이 먼저 출발선에 서서 뛰기 시작했다. 그 출발 총소리를 정말 오랜만에 들어보았다.

초등학교 운동회 때 달리기 시합을 할 때면 그 총소리가 너무 무섭고 심장이 터져버릴 거만 같았다. 그때처럼 또 내 가슴이 설레기 시작하고, 몸도 갑자기 긴장 상태가 되어버렸다.

십여 분 후에 드디어 나의 첫 마라톤 10킬로 레이스가 시작되었다. 모든 주자가 출발선에 모여들었고, 다들 얼굴이 상기되어 보였다. 그렇게 난 아들과 나란히 뛰기 시작했다. 항상 혼자서 뛰다가 앞뒤로 많은 사람이 빠른 속도로 출발하자 나도 모르게 발이 빨라졌다. 학교를 벗어나 도로로 접어들어 뛰는데 차들이 멈춰있고 내가 뛰고 있는 상황이 신기하기만 했다.

아들과 뛰고 있다니 가슴이 뭉클하고 하기 싫었을 텐데 이렇게 같이 해줘서 정말 고맙고 기특하단 생각이 들었다. 난 들뜬 마음으로 바람을 가르면 뛰었다. 옆에서 달리는 아들의 숨소리가 조끔씩 가빠지지 살짝 불안해지기 시작했다.

출발해서 한 2킬로나 뛰었을까? 결국, 아들이 나 먼저 가라고 한다. 잠깐만 쉬었다 뛴다고 해서 걱정되었지만 나는 아들을 버리고 완주하리란 마음을 가다잡고 뛰었다.

무난하게 난 잘 뛰고 있었고 빠른 선수들은 벌써 반환점을 돌고 빛과 같은 속도로 스쳐 지나갔다. 와!! 백미 터 달리기도 아니고 저럴 수가 있지 싶었다.

나도 마침내 5킬로 반한 점을 돌았다. 반은 성공이다! 이제 돌아만 가면 성공이야 하는 마음으로 뛰어 나갔다. 그제야 아들 생각이 났다. 설마 포기한 거는 아니겠지 싶으면서도 연습을 거의 못 했다 하니 불안했다.

올해 서른인 아들이 젊은 나이이기는 하지만 마라톤은 누구에게나 연습을 하지 않으면 쉽지 않은 운동임은 확실하다.

걱정 반 기대 반으로 뛰던 중 멀리서 사람들 사이에서 뛰고 있는 아들이 보였다. 순간 다행이다 포기하지 않았네 하는 안도감이 들었다.

난 스쳐 지나가는 아들에게 크게 말했다.
"아들 파이팅!!!"
아니 50 넘은 엄마가 아들에게 할 소리인가 싶었다, 그건 내가 아들에게 들어야 할 소리가 아닌가.

그간의 모든 운동의 효과가 발하는 순간이었다. 그동

안 산행한 시간과 천국의 계단이 나의 심장을 강하게 만들어 주었다. 곁들어 인내력과 지구력이 길러지고 모든 일에 쉽게 지치거나 포기하지 않는 자원이 되어 준 것은 확실하다.

산도 오르다 보면 정상 직전은 힘들지 않은 산이 없다. 달리기도 도착 직전이 그런지 1킬로를 남겨놓고는 다리가 무겁고 숨도 가빠왔다. 하필 시작할 때 좋았던 내리막이 다시 오르막이 되어 달리니 정말 힘들었다.

옆에서 걷는 사람들과 헉헉대는 숨소리들 사이로 나도 오만가지 인상을 쓰면서 막바지를 향해 뛰었다.

주변에 응원 나온 사람들과 경찰들의 응원 소리를 들으며 오르막을 다 오를 때쯤 출발한 학교 정문이 보이자 갑자기 힘이 났다.

두 다리도 살짝 가벼워졌고 그렇게 난 피니쉬 라인을 힘차게 밟으면서 나의 첫 마라톤 도전을 끝냈다. 운동장에 앉아 가쁜 숨을 내쉬면서 그간의 내 노력과 도전에 자축했다.

나의 기록은 01:01:59였다. 혼자 뛰던 예전 기록보다

무려 15분이 빨라진 것이다. 그 이유는 앞뒤로 함께 달리는 목적을 같이한 동지들 때문이었다. 그래서 페이스메이커가 중요하다는 걸 깨달았다. 내가 힘든 만큼 같이 뛰는 모두가 힘들었을 것이다. 말은 하지 않았지만 우리는 서로의 페이스메이커였다.

다들 사는 게 쉽지는 않다고 하지만 우리 주변에는 우리를 도와주는 페이스메이커가 많으리라 생각한다. 그게 사는 이유가 되어줄 수도 있고. 살게 해주는 이유가 될 수 있다고 생각한다.

정신을 차려보니 아들이 궁금해져서 도착 지점을 뚫어져라 보고 있었다. 설마 걸어오진 않겠지 하면서 들어오는 얼굴 하나하나를 뜯어보았다.

얼마 후 드디어 반가운 얼굴이 보였다. 마지막 힘을 내어 뛰고 있는 아들에게 힘껏 두 손을 흔들었다. 얼굴은 무척이나 힘들어 보였고 죽기 일보 직전의 표정에다 땀은 범벅이 되어있었다.

운동 좀 하라니까 하고 혼잣말을 하면서 그래도 완주해 주니 대견하기만 했다. 우리 둘은 기념 메달과 완주기록증을 받아 들고 기념사진도 찍고 힘들지만 보람찬 하루를 마무리했다.

후에 아들은 다리가 아파 일주일은 고생했다 한다. 전에 아킬레스건 수술한 자리가 오래 뛰면 아프다고 얘기했다. 괜히 미안해지려 하는데 그래도 그날 뛴 거는 괜찮았다 하니 다행이다. 본의 아니게 나쁜 엄마가 될 뻔했다.

가을에 나는 하프를 뛰겠다 했고, 아들은 10킬로는 다시 뛰어보고 싶다 했다. 아들과 다시 뛸 생각을 하니 벌써 기분이 좋아진다.

애들이 크면 같이 뭔가를 할 기회가 줄어든다. 나는 체력이 되는 한 뭐든 기회가 되면 함께 하길 희망한다. 애들도 그럴지는 모르겠지만, 내 마음의 열정이 있다면 가능하리라 믿는다.

글을 쓰는 시간이 6월 초에 접어든다. 지금도 토요일 6시 전후로 해서 뜨거워지기 전에 뛰고 있다. 그동안 꾸준히 연습한 덕에 10킬로는 거뜬히 뛰고 14킬로까지 발전했다.

가을이 되면 지금 쓰는 글이 나올지도 모르겠다. 그 때쯤이면 하프마라톤도 접수하고 있지 않을까 싶다.

아침 일찍 나서려면 몸이 무겁기 마련이다. 그래서 생각 없이 나오려고 자기 전에 모든 짐을 다 챙겨 현관 앞에 놓아둔다. 일어나 세수만 하고 나갈 수 있게, 가끔 쉴 핑계를 찾아 머리를 굴리곤 할 때도 있지만 거의 나가는 데 성공한다.

주차하고 달리기 직전에는 항상 걱정이다. 오늘도 다 뛸 수 있을까? 그 순간 핸드폰에서 그 소리가 들린다. 트렝글이 힘찬 뛰기를 응원합니다!!
셋, 둘, 하나!!

하지 않은 것들로부터 후회하지 않기

2024년의 반을 곧 지나려 한다. 문득 겨울에서 봄을 지나 6월의 마지막 며칠을 남겨놓고 있다. 어른들이 말처럼 시간이 나이 속도로 지나가는 것만 같다.

난 뭘 했을까? 월초다 싶으면 월말이 되고, 월요일이다 싶으면 금세 주말이 코앞에 와 있었다. 작년 연말에 세워둔 계획이며, 목표 같은 것들에 한 번쯤은 뒤돌아볼 시간이 아닌가 싶다.

하던 일들을 계속해야 할 것들도 있고, 도저히 안 되겠다 싶은 것도 있고, 연초에 갑자기 생겨난 새로운 계획도 있어서 이 시점에서 다시금 정리해야 할 듯싶다.

나 자신에게 재충전을 해주어야 다가올 힘든 여름도 이기고 남은 한 해도 잘 헤쳐 나가지 싶은 마음이다.

정해놓은 일을 끝까지 다 해내면 좋겠지만 우리 앞에

무슨 상황이 생길지 알 수 없기에 살면서 그때그때 적당한 계획의 수정이 필요하다.

첫 번째 목표인 10Km 마라톤 완주도 해냈고, 우연한 기회에 시작한 글쓰기 수업 시간을 통해 공저를 출간하게 되었다.

돌이켜보면 나의 취미들은 유독 인내심이 필요한 것들이다. 독서가 그렇고 산행이 그렇고 완주하려면 혼자만의 고단함이 함께한다. 그럼에도 다 끝난 순간 내가 느끼는 무수한 감정들이 지금의 나를 있게 해주었다.

인생만큼 긴 마라톤이 있을까? 그래서 나는 지치지 않으려고 새로운 일에 도전을 주저하지 않으려 한다.

먹고살려는 일들로 하루하루가 힘들 때가 많다. 내 나이 또래는 모두가 그럴 것이다. 저마다의 소소한 취미와 작은 도전으로 지루한 삶을 잘 보듬으면서 마음 상하지 않고 즐겁게 살았으면 좋겠다.

뭘 하고 싶은지 자신과의 대화를 자주 하고 뭐든 해보자는 마음을 먹고 시간을 그냥 흘려보내지 말고 다음에 하지 못한 것에 대해 후회하지 않았으면 좋겠다.

나도 매번 다짐한다. 그리고 매번 흔들린다. 작심삼일도 계속 반복하면 일 년 내내 할 수도 있지 않을까 한다.

꼭 해내야 한다는 경직된 마음을 갖고 있다면 스스로 상처를 받을 수도 있다. 바람에 자연스럽게 흔들리는 나무처럼 나도 그렇게 흔들리면서 살아간다면 괜찮게 살 수 있지 않을까?

무등산으로

제주에 다시 돌아와 지낸 지 7, 8년이 되어간다.

주말이면 숲길과 오름을 다니고 계절에 한 번씩은 한라산 정상에 오르고 있다. 제일 많이 다닌 산이 한라산이라 생각할지도 모르겠지만, 내 기억에 의하면 무등산일 것이다.

결혼하고 십오 년쯤 살았던 곳이라 그렇기도 하지만 다이어트 한다고 마음을 먹고 운동을 시작한 시기가 그때여서 그렇다.

산에 대해 전혀 모른 채 무작정 무등산으로 갔다. 버스 정류장 바로 옆에 제일 먼저 나오는 코스가 새인봉 코스였다.

난이도는 생각도 안 하고 제일 짧다는 이유로 올랐었다. 십 분도 안 되어 잘못 왔다는 생각이 들었지만, 다시 내려갈 수는 없어 한 30분을 꾸역꾸역 올라갔다.

숨은 차고 가파른 오르막을 한 발, 한 발 내디딜 때마다 탱크 지나가는 소리처럼 숨소리가 뿜어져 나왔다. 그러다 중간에 벤치가 보이는 순간 저기가 정상이구나 싶은 생각에 한참을 앉아 있다 내려온 기억이 무등산의 첫 산행이었다.

물론 그 전에 집에서 차로 가까운 거리에 있는 삼각산을 몇 번 다녀오긴 했지만, 새인봉 그 코스와는 비교가 안 되었다.

지금 생각해 보면 얼마나 바보 같았는지 모르겠다. 그 후로 여러 코스를 조금씩 조금씩 다녔다. 주말이면 새벽같이 나와서는 아이들이 아점을 먹을 시간에 맞춰서는 내려가곤 했다.

산행 시간도 서서히 늘어나고 나의 심폐 능력도 늘었는지 숨소리는 어느새 사그라들고 나의 등산화에도 산행이 흔적이 훈장처럼 남았다. 아마 그때는 미친 듯이 산으로 달려갔었다.

우울증이 나도 모르는 사이에 나를 파고들었다. 이러다 죽을지도 모른다는 생각으로 병원에 가야 하나 고민을 하고 있었다. 그런데 산을 힘들게 오르다 보면 머릿속에 빙빙 돌던 수많은 잡생각이 떠오르지 않았다.

너무 힘들어서 생각조차 할 수 없었던 듯하다. 잠깐 숨돌릴 시간이나 오르막을 걷다 반가운 평지가 나올 때 다시 제정신이 들어오면 그때 잠깐씩 생각에 잠긴다.

산의 계절이 바뀌는 모습에 관심을 두고 코스별 산행에 맛을 들이기 시작한 것은 몇 년이 지나서였다. 그 사이 내 마음과 내 두 다리는 모두 튼튼해졌고, 나의 표정 어딘가도 약간의 먹구름이 걷혀가는 기분이 들었다.

마음이 힘들어서, 다이어트가 필요해서 찾아간 산에서 나는 나와 딱 맞는 단짝을 찾았다. 깊은 산속에서 있으면 마음이 평안해지고 차분해졌다. 또, 정상에 올라서면 성취감과 뿌듯함에 알 수 없는 자신감마저 생겨났다. 그래서 그 기분이 좋아 열심히 다녔다.

그때 힘들었던 그 세인봉이 가끔 생각이 난다. 봄이면 내 키만큼의 진달래꽃이 피어 있었다. 제주에 내려온 이후로 나의 뒷동산처럼 다녀댔던 무등산을 몇 년째 못 가보고 있다.

철마다 달랐던 등반 코스들이 그립다. 무등산의 산장 코스는 오월이면 철쭉이 만리장성처럼 한 구간을 드리우고 있고, 오르막 코스가 싫을 날이면 규봉암을 지나 정상 직전인 장불재까지 가곤 했다.

중간에 몇 사람은 앉을 만한 커다란 바위가 많아 커피를 마시며 햇볕을 쬐곤 했다. 앉아 있으면 천국이 따로 없다는 생각이 들었다. 세상 고요한 그곳에 온전히 나만 있는 느낌이 좋았었다.

가끔 지인과 다니면 산행의 외로움도 달래 줄 수 있어서 좋았다. 여전히 산행은 혼자가 대부분이긴 하지만 언제든 누군가와 함께할 수 있는 취미라 나는 등산이 좋다.

지난번엔 아들, 딸과 한라산 겨울 산행을 했다. 겨울에만 볼 수 있는 눈꽃을 보여주고 싶었다. 하얀 겨울의 한라산은 정말 멋지다. 매서운 겨울 칼바람이 없는 맑은 날이면 난 복 받았다는 마음으로 산행한다.

성판악 코스에 있는 사라오름은 웬만하면 누구든 갈 수 있다고 생각한다. 우리 딸이 사진으로 담을 수 없는 풍경이라 말했었다. 사라오름에서 이 좋은 느낌을 함께 할 수 있어서 참 행복한 시간이었다. 이런 시간을 가질 기회가 앞으로도 많았으면 하고 혼자 기도했다.

차를 타고 다니면 우리나라는 무슨 산이 이렇게 많을까 생각이 든다. 광주에 사는 동안 전남에 있는 산을 오를 기회가 더 많았다.

산마다 산행의 다른 맛을 느낄 수 있어서 좋았고 걷는 동안 많은 생각들 사이에서 나만의 고민 해결 방법도 찾을 수 있었다.

녹음이 진해지는 7월의 중순을 향해 가고 있다. 이번 여름휴가에는 무등산에 한번 가고 싶다는 진한 충동을 느낀다. 세인봉을 시작으로 장불재 돌계단을 타고 서석대에 올라 보고 싶다.

내가 힘들 때 나를 잡아주고 친구가 되어준 무등산에게 감사하다는 말을 하고 싶다. 몇 년째 못 가고 있지만 항상 똑같이 나를 반겨주리라 믿는다.

¡Hola!

Yo soy coreana.
나는 한국인입니다.

작년에 새해에는 뭐든 해야겠다는 생각에 나는 스페인어를 독학하기 시작했다. 무슨 바람이 불어서였는지 생각해 보면 요새 TV 프로그램의 반은 먹방과 여행이 다 차지하고 있다.

해외를 나가지 않으면 나만 괜스레 뒤처지나 싶고 왜 이렇게 궁색하게 사나 싶은 생각마저 들게 한다. 나 또한 그런 생각이 솔직히 들면서 부럽기만 할 때도 많았다.

스페인어를 배우고 싶은 이유 중 첫 번째는 스페인을 꼭! 가야겠다 하는 것보다 영어 다음으로 쓰이는 제2외국어 이거나 외국어로서 제일 많이 쓰이기 때문이다. 유럽뿐만 아니라 중남미까지 브라질을 제외한 대부분이 스페인어권에 속한다.

앞으로 기회가 된다면 아니 기회를 만들어 외국을 나
간다면 언어 불편함에서 벗어나고 싶다. 아주 능숙하
진 않아도 여행길에서 만나는 그 누군가와도 가벼운
대화 정도는 하고 싶다. 낯선 세상에서 친구가 될 수
있다면 얼마나 멋질까? 가슴이 두근두근 설렌다.

영어를 먼저 배운 우리는 스페인어가 아주 외계의 언
어 같지는 않을 것이다. 스페인어에도 알파벳이 있고
음가를 먼저 외우고 단어도 익히면서 반드시 외워야
할 것들도 연습하다 보면 조금씩 느는 것을 알 수 있
을 것이다.

일본어는 한국인이 배우기에는 시작이 쉽게 느껴진
다. 그건 우리말과 어순이 같기 때문이다. 한참 전에
일본어 학원을 6개월 다닌 적이 있었다. 거의 잊어버
려서 간단한 자기소개나 인사말만 흐릿하게 기억이
나지만 다시 시작한다면 요번에는 잘할 수 있지 않을
까 하는 알 수 없는 자신감이 있다.

영어는 다 아는 것처럼 우리말과 어순도 다르고 무엇
보다 많이 틀리면 어떡하지? 하는 걱정이 우리의 말
문을 막고 있다. 주위를 둘러보면 이제 외국인을 어
디서든 만날 수 있다. 그들이 쓰는 서툰 한국어를 우
리는 다 알아듣는다. 마찬가지로 우리가 쓰는 영어

역시 그들도 잘 알아듣는다. 긴 문장이 아니더라도 중요한 단어의 나열만으로도 의사소통은 가능하다.

작년 나의 목표 중 하나였던 스페인어 공부는 10개월 동안 나름 꾸준히 했다. 일에 치여 매일 하지 못했지만, 책과 유튜브로 동영상 수업을 내려받아 출근길에 걸으면서 열심히 들었다.

계란으로 바위 치기까지는 아니지만 정말 외우고 돌아서면 잊어버리기 일쑤였다. 어떨 때는 나이 탓이라고 스스로를 위로하기도 하고 가끔은 내 머리가 영 아니네. 하고 생각하기도 했다.

일단 책 한 권을 어떻게든 한번 끝내보자는 마음으로 시작했고 두 번째 그 책을 볼 때면 조금은 속도가 붙지 않을까? 하는 희망이 있었다.

책을 한번 끝내고 나서는 한참 하는 일이 바빠서 근 6개월을 손을 놓고 있다가 최근에 다시 보기 시작했다. 확실히 처음보다는 덜 어렵게 느껴진다. 하지만 동사 활용 편이나 성수 구별은 여전히 많이 헷갈리고 쉽지 않다.

모든 학습의 첫발은 어렵다.

"한 번의 만족스러운 점프를 위해 3000번의 jump를 뛰었다." 피겨의 여왕 김연아의 명언이다.

반복되는 지루함을 이겨내야만 이루고자 하는 목표의 결과물을 얻을 수 있다고 본다. 무슨 일이든 계속하다 보면 실력에도 가속이 붙는다고 믿는다. 다만 포기만 하지 않고 노력하면 어느 사이에 자신만의 목표에 다가가 있을 것이다.

나는 앞으로도 어제보다 나은 성장의 즐거움을 느끼고 싶다.

"한 번의 만족스러운 점프를 위해
3000번의 jump를 뛰었다."

바람이 그리운 남창계곡

입암산 갓바위 정상

광주에 살면서 대부분의 주말은 무등산으로 긴 코스를 가거나 집에서 가기 편한 담양의 병풍산으로 다녔다.

산에 간다고 하면 다들 정상만 생각하고 힘들 거라 미리 포기하려고 한다. 하지만 같은 산의 코스마다 경치가 다 다르고 산행의 재미가 각양각색이다. 물론 산행 초보여서 오르기에만 바쁜 사람이 아니라면 매번 같은 코스 말고 다른 코스도 다양하게 즐겨보았으면 한다.

사계절을 다녀보면 자기가 좋아하는 코스며 그날그날의 컨디션에 따라서 산행 스케쥴을 조절할 수 있다. 그렇게 다니다 보면 계절마다 생각나는 산이 떠오른다.

남창계곡은 산행으로 먼저 갔던 곳이 아니라 캠핑 마니아 지인의 권유로 겨울 캠핑을 같이 다녀왔다. 나중에야 산행하면서 그 이름도 알게 되었다.

남창계곡은 전라남도 장성 입암산 기슭에 있다. 입암산 코스는 내장산 국립공원 등산코스 중 하나이다. 해발 641m 산의 정상에 서면 주변으로 시원하게 뚫린 고속도로며 탁 트인 논밭이 펼쳐져 있어 가슴이 뻥 뚫리는 기분이 든다.

남창계곡 주차장에서 출발해서 하산까지는 휴식시간 포함 3~4시간 정도면 충분히 다녀올 수 있다.

장성에는 몇 개의 산이 더 있다. 방장산(734m), 백암산(741m), 불태산(720m), 축령산(621m) 등이 있다. 물론 내가 다녀본 산들이다.

대부분의 산들이 모두 집에서 출발하면 50분 정도는 차로 가야 해서 자주 가지는 못하지만, 가끔 계절에 한 번씩은 다녀왔다.

아이들이 어렸을 때 여름이면 축령산에 여러 번 갔었다. 키가 큰 편백나무 숲에 돗자리 펴고 싸 온 간식들을 먹으며 한참을 누워있다 오곤 했다. 지금은 편백나무 치유의 숲으로 더 알려져 더 많은 사람이 가고 있다.

전라도는 참 산이 많다. 무등산을 빼고는 산이 아주 높지는 않아서 누구든 서서히 오른다면 가능하다고 본다. 누구든 여행을 갈 기회가 있다면 산행에 더해 맛의 고장 전라도까지 느끼고 왔으면 한다.

남창계곡이 유독 기억에 남는 이유는 능선 어디쯤 가다 보면 좌우로 바람이 통하는 구간이 있다. 한여름에도 거기에 이르면 시원한 산바람에 모든 고단함이 스르르 사라지는 것 같아 좋았다.

친구랑 산행하면 정상을 찍고 돌아와서 꼭 그 자리에서 도시락을 먹곤 했다. 산에서는 무엇을 먹든 맛이 최고의 맛이다.

봄이면 초록빛 세상에서 겨울이면 하얀 눈빛 위에서 언제나 만찬을 하고 오는 기분이 든다. 그 기억들이 싸여 나만의 추억이 되고 나의 모든 시간을 충만하고 행복하게 해주는 든든한 나만의 지원군이 되어준다.

여름의 남창계곡은 지금쯤 입구서부터 물놀이온 사람들로 북적이고 주변 촌닭집 식당들은 문전성시를 이루고 있을 것이다. 생각만으로도 기분이 좋아진다. 푸른 녹음이 그립고 계곡 따라 오르던 힘든 돌계단마저도 그립다.

제주에 내려와 살면서 제일 아쉬운 건 가고 싶다고 생각이 들 때 바로 갈 수 없다는 사실이다. 이제는 관광객이 입장이 되어 휴가 때나 되어야 움직일 수 있다는 게 아쉬울 따름이다. 더운 여름이 되면 산등

성 어딘가에서 불던 그 바람이 사랑하는 사람처럼 그
립다.

사랑스러운 스콘

커피는 혼자 있을 때도 누군가를 만날 때도 항상 함께한다. 카페 하면 커피만 떠오르던 세상이 이제는 베이커리 카페 세상으로 다 바뀌었다. 빵이 맛있어야 그 카페가 더 유명해지는 게 지금의 현실이다. 후식으로 커피에 빵을 곁들이다 보니 크기가 작은 빵을 찾게 된다. 작지만 맛이 진한 게 디저트 빵들이다.

나는 유독 스콘을 좋아한다. 스콘(Scones)은 영국에서 가장 유명한 빵 중 하나로 담백하면서 고소한 맛과 부드러운 맛으로 차와 함께 즐기는 빵이다.

우리는 차보다는 커피와 함께 하는 것이 더 친숙한 듯하다. 겉은 바삭하고 속은 촉촉한 게 스콘의 매력이다. 과자와 빵의 중간 느낌이랄까?

아이들이 어렸을 때 스콘을 함께 만들었던 기억이 난다. 딸과 가끔 카페에 가면 그때의 이야기를 한다. 견과류도 넣고 아이들이 좋아하는 초콜릿 칩도 넣어서 만들고 있으면 집안 가득 번지는 버터 향이 먼저 식욕을 자극한다. 그때만 해도 집에서 자주 간식거리를 만들어 먹었었다.

요새는 사 먹기 좋은 세상이다. 배달 앱으로 뭐든 주문할 수 있으니 사람들이 굳이 귀찮게 만들려 하지 않는 것이다.

어떤 음식을 하든 거기에는 시간과 정성이 들어간다. 만약 아이들과 함께한다면 거기에는 사랑과 추억이 추가된다. 성인이 된 우리도 엄마를 생각하면 엄마의 체취와 더불어 엄마가 해주시던 음식이 더불어 기억에서 소환이 되지 않는가.

컵라면에 물을 부어 3분이면 끝나는 즉석식 말고 레시피가 필요한 음식을 하다 보면 잡념도 사라지고 정신이 맑아지는 기분이 든다. 오롯이 그 순서에 맞게 하다 보면 딴생각할 틈이 없다.

누군가는 마음이 복잡하면 집 안 청소며 정리를 하는 사람도 있다. 사람마다 마음을 다스리는 방법이 제각각일 것이다.

나는 가능하면 뭐든 만들어 먹으려는 편이다. 물론 맛은 보장하지 못한다. 내가 먹을 것이고 또, 여러 번 하다 보면 요령이 생겨 변형까지도 하게 된다. 그래서 기분이 울적하거나 기분 전환이 필요하면 유튜브에서 하고 싶었던 요리 동영상을 보면서 따라 해본다.

만드는 과정에서부터 다 완성이 되었을 때 내 마음이 달라져 있는 것을 많이 느낀다. 도 닦는 느낌이랄까. 꼭 산속에서 명상하고 수행해야만 하는 것은 아닐 것이다. 자기가 있는 그 자리에서 자신만의 방법으로 마음을 들여다볼 시간을 갖는 것은 중요하다고 생각한다. 그 방법을 모른다면 시간을 두고 찾아봐야 한다.

앞으로도 내 마음을 흔들어 놓을 일들이 얼마나 많을지 모른다. 건강한 내 마음을 지켜줄 나만의 방법을 찾으려고 부단히 애쓰고 노력하려고 한다. 그래야 내 주변 사람들에게도 편하고 함께하기에 어렵지 않은 그런 사람이 되어줄 수 있을 것이다

딸이 며칠 전에 서울에서 다녀갔다. 추억 속의 그 스콘을 오늘은 한번 만들어 보려고 한다. 내가 좋아하는 말차 스콘과 아이들 입맛인 초콜릿 스콘 도전!!
벌써 고소한 스콘 향이 나는 것 같다.
내일은 친구와 약속을 잡고 집에서 만든 스콘을 커피와 함께해야겠다. 행복한 오늘 하루를 생각하며 내일의 행복도 또 기대해 본다.

**봄, 여름, 가을, 겨울
그리고 한라산**

제주에서는 어디에 있어도 거의 한라산이 보인다. 북쪽의 제주시와 남쪽의 서귀포시에서도 그렇다. 집 앞에 고층 아파트나 빌딩이 없다면 보이는 모습이 약간 다를 뿐 한눈에 들어온다.

제주도에 외지인들이 입도를 많이 하다 보니 집을 고르는 기준이 다르다고 한다. 도민들은 주로 한라산 방향을 선호하고 외지인들은 바다 방향을 더 좋아한다.

당연히 내가 사는 집 창문으로도 멀리 한라산이 보인다. 아침마다 보이는 한라산의 모습은 매번 다르다. 궂은 날씨에는 산이 있었나 싶을 정도로 하나도 보이지 않고 맑은 날에는 산등성이가 훤히 다 보일 정도로 조망이 좋을 때도 있다. 손이 닿으면 보드라운 양탄자 느낌이 들 것만 같다.

한라산은 높이 1947.269m 북위 40 이남에서 높은 산이다. 정상으로 오를 수 있는 코스는 성판악과 관음사 코스 두 개가 있다. 탐방로의 거리는 각각, 9.6Km, 8.7Km이다.

정상을 가본 사람들은 성판악 코스가 관음사 코스보다 등반하기 훨씬 더 무난하다고 알고 있다.

하절기, 동절기에 따라 입산 시작 시각이 다르다. 보통 6시 전후로 등반을 시작하는 나는 9시 전에 정상에 도착해서 커피 한잔하는 것이 나만의 낙이다.

날씨가 도와줘서 햇볕이 좋은 날이면 일광욕이 따로 없다. 등산화도 벗고 햇볕을 온몸으로 느낄 수 있는 복 받은 날이라 생각한다.

요새는 예약제로 한라산 탐방을 하다 보니 날씨 좋은 날에 맞춰서 가기가 쉽지 않다. 정말이지 복불복이 따로 없다. 나처럼 주말 밖에 시간이 나지 않는 사람이라면 주말 예약을 해 놓고는 날씨에 상관없이 그냥 가는 수밖에 없다.

바람 한 점 없는 날은 더 좋고 비가 오면 분위기 있어 좋다. 겨울엔 눈이 와서 쌓이면 걷기가 조금 힘들 뿐 하얀 눈을 보면서 눈 위를 걷고 있으면 그렇게 시원할 수가 없다. 귓가에 뽀드득 눈 밟히는 소리가 들린다. 아직 여름이 한창인데 내 마음은 벌써 겨울이 기다려진다.

결론은 한라산 가기에 좋은 계절이나 날씨 여부는 상관이 없다라는 것이다. 날씨가 어떻든 매번 다른 산행의 경험을 할 수 있어서 지루할 틈이 없기 때문이다.

날씨가 좋은 날이면 어디가 하늘이고 바다인지 경계마저 흐릿하다. 넓디넓은 제주가 한눈에 들어오면 이렇게 좁은 섬에 살고 있나 하는 생각마저 든다.

발아래로 시내가 보이고 저 작은 틈바구니에서 매일 바쁘게 치열하게 살았던 나 자신이 작아 보이고 부끄러워진다.

좀 더 겸손하게 모든 것에 감사해하면서 살아야지 다짐하고 내려온다. 그런데 그걸 자꾸 잊어버린다.
그래서 다시 산에 오른다.

삼각봉과 용진각현수교

삼각봉 대피소를 지나면 나타나는 주황색 다리가 나타난다. 아래로 계곡이지만 비가 웬만히 오지 않는 한 대부분 말라 있다.

백록담 서북 벽에서 병풍처럼 둘러쳐 이어지는 장구목 능선과 왕관 바위 등 현수교 위에서 올려다보는 경관은 정말 아름답기 그지없다.

정상을 못 가더라도 삼각봉을 지나 이 다리에 서서 한라산의 탁 트인 조망을 꼭 보았으면 한다.

한라산을 간다고 하면 대부분 정상을 생각한다.
처음 등반하는 사람이라면 성판악을 먼저 가보기를
추천한다. 관음사는 오르막이 정상 직전까지도 많아
서 체력적으로 힘이 많이 든다. 하지만 성판악과 비
교하면 전망은 끝내준다.

이름과 똑같은 삼각봉은 삼각봉 대피소에 가야 볼 수
있다. 거기까지도 난코스이긴 하나 오르막 구간 등반
에 어려움이 없다면 관음사 코스를 개인적으로 강추
한다.

숨이 턱에 찰 만큼 힘든 순간에 삼각봉 봉우리가 희
미하게 보이면 어느새 없던 기운이 불끈 솟아 걸음을
재촉하게 된다.

삼각봉과 마주 앉아 있으면 어른 앞에 앉아 있는 어
린이처럼 작아지고 겸손해진다. 정말 이름 하나는 딱
이다. 모두가 사진이 아니라 직접 보았으면 하는 작
은 바람이다.

사라오름은 해발 1,324m 지점에 있는 오름(기생 화산구)이다.

한겨울에는 넓디넓은 하얀 운동장이 되고 비가 많이 오면 자연스럽게 산정 호수가 된다. 폭우가 내리면 만수가 되어있을 오름 생각에 주말이 기다려진다. 등산화를 벗고 맨발로 나무 테크를 걷노라면 신선이 따로 없다.

사라오름 입구에 다다를 무렵 주목 나무들이 있어서 그곳을 지나려고 하면 벌써 주목 향이 나를 먼저 반긴다. 곧 도착이 멀지 않았음을 향으로 알 수 있다.

한라산 속의 오름이라니!!
전망대에서는 멀리 한라산 정상과 바다까지 탁 트인 제주가 한눈에 들어온다. 그 순간 답답하고 꽉 막혔던 마음이 깊은 곳까지 뻥 뚫리는 기분이다.

한라산 정상의 아침

정상에 오르는 첫 번째 이유는 가장 넓고 높은 카페에서 한잔의 커피를 마시기 위함이다.

고요하고 깊은 세상에 나 혼자 있는 느낌이 좋다. 올라오면서 무거웠던 몸이 서서히 가벼워져서 내려간다. 마음속에 자리 잡고 있던 걱정거리도 잡념도 모두 다 내려놓고 간다.

지금, 이 시간이 나에게는 수행과도 같다. 몸과 마음마저 살필 수 있는 소중한 시간이다. 정신없는 하루하루를 살다 잠시 세상 밖으로 나와 주변을 뒤돌아볼 수 있어서 참 좋다.

돌아가신 아빠가 많이 생각난다. 엄마가 싸 주신 김밥 도시락 들고 한라산을 잘 다니셨다. 산을 좋아하셨는데 그걸 알면서도 등반을 한 번도 같이 해드리지 못했다. 너무 죄송하고 죄송하다.

이렇게 볕 좋은 날 나란히 앉아 있으면 얼마나 좋아하셨을까? 그리운 아버지 잘 계시죠?

제멋대로 내 맘대로

내 입맛대로 즐겁게 사는 게 어때?
알 수 없는 만두 속 같은 사람처럼 사는 것도 나쁘지는 않
잖아!!

두 아줌마의 뚜벅이 경주 여행

드디어 5월 황금연휴다!!
여행 가려고 만든 일 년 만기 적금을 다 못 채운 채
로 우리 둘은 2박 3일 일정으로 떠났다.

역시 여행은 떠나기 일주일 전이 가장 신나고 들뜬
다. 둘 다 경주를 온전히 즐기고 싶었다. 왕릉 사이를
거닐고 불국사며 동궁과 월지를 느리지만, 여유 있게
둘러볼 수 있는 여행을 원했다.

차를 렌트할까? 생각도 했지만, 그냥 버스나 택시를
이용하기로 했다. 항공편과 숙박 외에는 예약 없이
다니기로 했다. 괜찮은 식당이나 카페가 보이면 들어
가기로 하는 정말 막무가내 여행이었다.

공항에서 시내로 가는 버스는 항공편 출도착 시간과
맞춰져 있어서 불편함이 없었다. 대부분의 일정은 황
리단길 부근에서 보냈고 불국사와 국립 박물관만 버
스를 타고 이동했다.

동궁과 월지 야경

중고등학교 시절 수학여행을 다녀온 이후로 경주는 처음이었다.

말로만 듣던 예쁜 황리단길을 동네 골목 걷듯이 서서히 구경하면서 편하게 다닐 수 있어서 좋았다. 특별한 거리가 없어도 둘이서 마냥 다니는 게 신났다. 예쁜 카페도 기웃거리다 들어가 보고 구석구석 골목 탐방하는 느낌도 괜찮았다.

날씨가 흐려서 살짝 아쉬웠지만 그래도 제주도와 일에서 탈출한 사실만으로도 마냥 좋기만 했다. 저녁에는 숙소에서 맥주 한 잔과 아줌마들의 수다로 하루를 마무리했고, 그러다 몰려오는 뚜벅이 여행의 피로와 함께 깊은 잠에 빠졌다.

비 내리던 불국사에서는 녹차 세작을 마시며 망중한을 즐겼다. 돌아오던 길에 해가 지는 시각에 맞춰서 찾아간 동궁과 월지에서 잊을 수 없는 멋진 야경의 순간들을 보면서 소중한 추억을 한가득 품고 왔다.

벌써 다음 여행을 계획 중이다. 이번엔 일 년 만기 적금은 꼭 타서 가기로 굳은 약속을 했다. 다음 여행을 기대하면서 설레는 마음으로 또 일 년을 살겠구나 싶다.

나만의 루틴 만들기

나는 소상공인 자영업자이다. 정확히 말하면 개인과외 교습소원장 겸 선생님이다.

학원 수업 시작은 아이들이 학교가 끝나는 2시가 다 되어 시작해서 중학생 수업이 마무리되는 7시~8시쯤이다. 시간만 놓고 보면 대여섯 시간 근무라 생각할 수 있지만, 학원도 은행처럼 문 열기 전, 후에 일이 더 많다.

눈뜨면 챙겨서 7시까지 헬스장 도착이 하루의 첫 번째 목표이다. 벌떡 일어나는 날보다 몇 번을 뒤척이다 겨우 일어나는 날이 많다. 주 후반으로 갈수록 몸이 먼저 어찌나 잘 아는지 피곤함이 더해간다. 곧 주말이 온다는 뜻이다.

유산소와 몇 가지 근력 운동을 적당히 섞어 한 시간 정도 채우는 것이 두 번째 목표이다. 씻고 나올 때의 뿌듯함과 상쾌함을 자꾸 기억하려고 한다. 하기 싫은 날을 대비해 두는 나만의 묘책이다.

학원으로 오전 출근을 해서 전날 수업하고 간 아이들의 교재를 확인하고 그날의 수업 할 내용을 개인별로 다시 점검한다. 회원의 초등과 중등 비율은 7:3 정도이다. 초등 수업 준비에 손이 더 많이 간다.

공부는 때가 있고 기초가 얼마나 중요한지 알기에 신경을 많이 쓰고 있다. 아이들이 그걸 알아주었으면 좋겠지만 현실의 우리 아이들은 출석에 만족하는 거 같아 늘 아쉽다. 아이들한테는 지나친 기대일까?

그래도 시간에 비례해서 아이들의 실력이 소리 없이 늘고 있는 걸 보노라면 대견하다. 무슨 일이든 어른이나 아이나 일단 오래 하고 볼 노릇이다. 눈에 보이는 모든 결과는 한계점을 지나야 비로소 보이는 것 같다. 1만 시간의 법칙이 그냥 있는 것이 아니다.

그렇게 한 두 시간 정도의 업무가 끝나고 나면 개인 일도 보고 점심까지 해결하고 다시 학원으로 두 번째 출근한다. 전쟁 같은 수업을 하고 간단히 청소하고 나서야 드디어 퇴근이다.

살을 빼려면 6시 이후로 저녁을 먹지 말라고 한다.

이건 누구의 퇴근 시간 기준일지 항상 궁금하다. 아무리 빨리 먹는다고 해도 8시가 다 되어서나 가능한데 나는 좀 억울하다.

성격상 굶지 않는 사람이라 일단은 무조건 먹는다. 가끔 후식도 먹고 스트레스받은 날이면 맥주도 곁들여 한잔한다. 먹고 나서 밀려오는 후회는 다음으로 미뤄둔다. 그래서 내가 아침 운동을 꼭 해야 하는 이유가 하나 생긴 것이다.

이제 50대 초반을 넘어가고 있다. 몸 관리는 이제 모두에게 당연한 일이 되어버렸다. 그걸 못하면 자기관리를 못 하는 사람으로 낙인이 찍힐 수도 있는 세상이 되어버렸다.

몸이 마음을 못 따라가면 얼마나 서글플까? 자기만의 방법으로 관리를 해야 한다고 생각한다. 그 방법을 못 찾거나 모르겠다면 더 늦기 전에 여러 가지 시도를 꼭 해보았으면 한다. 주변 사람에게 도움을 청하거나 인터넷에서 찾고자 한다면 어딘가에 자기와 꼭 맞는 방법이 있을 것이다.

첫 시도를 두려워 말고 일단 해보자는 단순한 마음으로 먼저 다가갔으면 좋겠다.

몰라서 못 했던 것도 있을 테고 하고 싶은 마음은 있었는데 선뜻 나서지 못했던 일들도 있을 것이다. 이참에 한 번 해볼까? 하는 강한 충동을 느꼈으면 한다.

나의 주말 루틴도 늘 비슷하다. 토요일 오전은 수업이 있어서 개인 일정은 12시 이후로 움직인다.

8시에 헬스장을 후딱 다녀와서 수업하고 나면 점심시간이다. 대충 정리를 하고 나서 서둘러 간식으로 싸 온 도시락이 든 작은 배낭을 챙겨 3시간 내외로 소요되는 숲길이나 오름을 다녀온다.

이렇게 토요일 오후도 지나간다. 집으로 돌아가는 길에 한주 먹을 장을 보고 소분해서 냉장고에 넣어두면 다음 주 식사의 반은 끝낸 것이다.

저녁마다 아침에 담가둔 검은콩을 삶아 두유를 만들고, 아침이면 토마토 당근 주스와 달걀을 삶아 준비한다. 가끔 귀찮기는 하지만 운동하고 나서 간단한 아침으로 먹으면 딱인 것 같다. 자꾸 몸에 신경이 쓰인다. 검은 머리가 오래갔으면 좋겠고 갱년기도 가볍게 넘기고 싶다.

드디어 일요일이다. 새벽에 마라톤 하프를 뛰려고 혼자 연습 중이다. 한 시간을 훌쩍 넘게 뛰고 나면 정말 얼굴이 홍당무가 되어가고 몸은 천근만근이다.

그래도 끝내고 나서 차에 타면 피곤함도 어느새 스르르 사라지고 나 자신이 대견하다는 생각에 괜스레 미소가 지어진다. 그 순간 마시는 물마저도 꿀맛이다.

한라산 등반은 두어 달에 한 번 가고 있다. 예약제라 가고 싶을 때 마음대로 갈 수 없다는 게 아쉽다. 그래도 계절에 한 번은 꼭 가보려고 한다.

동네친구와 시간이 맞으면 카페에서 수다를 떨기도 하고 각자의 책이나 일거리를 가져와 나름의 시간을 보낸다.

성격상 가만히 못 있는 성향이라 뭐든 하려고 한다. 찾으면 찾을수록 하고 싶은 게 많아진다. 그런 나를 보면서 친구가 주말엔 그냥 아무것도 안 하고 쉬면 안 되냐고 타박이다.

앞으로도 밥벌이를 계속해야 하는 1인 가족으로서 시간에 제약이 많이 따르긴 한다. 그래도 궁리하다 보면 남는 시간은 어딘가에 있기 마련이다. 게으르지만 않는다면 가능하다는 건 우리 모두 알고 있다.

매일 작은 실패를 하면서 사는 거 같다. 순간순간 괴롭고 힘들 때도 많지만 그래도 계속하다 보면 더 나아질 거란 믿음을 가지고 하루하루를 살려고 한다.

지치지 않는 힘도 결국 내 안에서 나온다고 생각한다. 현재의 하루하루가 나를 그렇게 만들 것이라 확신하면서 오늘 하루도 씩씩하게 시작해 보려 한다.

에필로그

부족한 글쓰기 솜씨로 감히 책 출간에 도전장을 내었다. 올해 여름 시작과 함께 짧지만, 긴 여정을 시작했다.

함께 하는 동료 작가님들이 있어서 주저주저하면서도 한 편씩 써 내려갈 수 있었다.

어렵게 짧은 글 한 편, 한 편을 쓰다 보니 조금씩 글쓰기에 힘이 생겨나면서 지치지 않고 마무리할 수 있었다.

글을 쓰는 동안 내 안의 모든 상황을 돌아볼 수 있는 소중한 시간이면서 내가 앞으로 나아갈 길을 찾는 기회가 되어주었다.

단지 글로 끝나지 않는 많은 경험을 할 수 있도록 도와주신 선생님께도 감사하다는 말을 전하고 싶다.

50을 넘겼음에도 아직도 많은 것이 서툴다. 엄마로서도 서툴고 아이들을 가르치는 선생님으로도 그렇다.

하지만 나는 지금에 머무르지 않고 배우고 익히면서

서서히 조금씩 나아지려고 부단히 노력할 것이다.

글을 통해 자신에게 묻고 답하는 과정을 통해 더디지만 조금씩 발전해 가는 모습을 상상하면서 이 책 <서서히>를 내놓게 되었다.

서서히 나아가 궁극에는 작은 목표에서부터 큰 성공까지 모두가 자신만의 기쁨을 누릴 수 있는 분들이 많았으면 한다.